原発事故、ひとりひとりの記憶

―3.11から今に続くこと

吉田千亜

岩波ジュニア新書 981

はじめに

二〇二二年一〇月一日の福島県双葉町は、半袖でも寒くない気温でした。

黒いフレコンバッグが三mほどの高さに積まれたすぐ脇の細道をいくと、小さな空き地があり、そこに車を停めました。この場所は中間貯蔵施設《ちゅうかんちょぞうしせつ》の敷地内で、周囲には私たち以外には誰もおらず、あたりは静まり返っていました。

福島県浜通りにある、双葉町。二〇一一年三月に起きた原発事故によって、広い地域が放射能に汚染されてしまいました。国は、その放射性物質を取り除く除染《じょせん》を各地で行いましたが、そのうち福島県内の除染で出た放射能汚染された土・廃棄物などを、原発をぐるりと囲む形で、大熊町と双葉町に集めました。それが中間貯蔵施設です。この施設に運ばれた土・廃棄物は三〇年で県外の別の場所に搬出するという約束になっていますが、その見通しはたっていません。そして、この中間貯蔵施設の敷地内は、許可された人しか立ち入れません。

この日、私は、双葉町から埼玉県加須市《かぞし》に避難をしている鵜沼久江さんと、もう一人、同

中間貯蔵施設

じく双葉町から避難中の女性と三人で、双葉駅の近くにつくられた「特定復興再生拠点」の復興公営住宅の入居日に合わせて、双葉町を訪れていました。原発事故から一二年近く経ち、ようやく町の面積の約一割の区域で「住んでもいい」ということになった日です。

中間貯蔵施設は、その「特定復興再生拠点」と、国道を挟んで反対側の海沿いに広がっています。国道を挟んで、反対側には「住んでいい」土地と「避難したまま」の土地があり、反対側は「許可なしには立ち入れない」という施設があるのです。私たちが中間貯蔵施設の敷地内に入れたのは、鵜沼さんの土地が、敷地内にあるからです。鵜沼さんの同行者として、名前を届け、防護服などをもらって、鵜沼さんの車でゲートの内側に入れてもらいました。

海を目指すまでの道のりで、二人は、様変わりした町の様子に驚いていました。立ち並んでいた家々は解体され更地になり、かつて田畑だった土地には放射能で汚染された膨大な量の土が埋められ、新しい丘がつくられていました。

「どこにいるのかさっぱりわからないね」とかつて町があった中間貯蔵施設の敷地内を車で走り抜けながら、二人は口々に言いました。

細谷海岸。遠くに原発が見える

車を出て、高くなった雑草をかき分けて砂利道《じゃりみち》を歩くと、どーんという波の音が近づいてきました。そこは、東京電力福島第一原子力発電所が見える細谷海岸。空は青く、遠くに廃炉作業中の原発が波飛沫に白く霞んでいました。砂利道を歩く音、波の音、「音」に意識がいくのは、普段、町の雑踏で聞く音が、ここにはないからでしょう。

波は力強く、その音に私は「怖さ」を感じていました。ここで、あの二〇一一年三月一一日、どれほど高い波が押し寄せたのか、と想像していたからです。この波が、同じように繰り返すのではなく、突然潮位が増して大きな波が押し寄せ、ここが再び飲み込まれたらどうしようと考え、緊張して水平線を見守っていました。ひと気のない中間貯蔵施設の敷地内に津波が来たら、誰にも助けてもらえないかもしれない、と。

もう少し北のほうには、海の家「マリーンハウスふたば」のある双葉海水浴場があります。その「マリーンハウスふたば」の時計は、三時三六分のまま止まっていて、津波が到達した時間だと言われています。海水浴場も原発事故から閉鎖されたままです。

その海水浴場と細谷海岸を隔てる岸壁には波に削られた岩肌が何層にも重なっていて、彫刻のようでした。かつて、「双葉町の崖には、B29の空襲の跡があるんだよ」と話してくれた双葉町の別の女性のことを思い出していました。

波の音を聞きながら、この土地の長い歴史や、多くの人生が、突然ぷつりと切られてしまってからの時間を考えていました。今なお、帰りたくても帰れない人が、四七都道府県にいるのです。


原発事故後に出会った、たくさんの大切な人たちの中から、一八人の日々を記します。

目次

＊本文中の写真は、クレジットのあるもの以外はすべて著者撮影。

1 章

原発から３kmの双葉町で

──「もう帰れないな」と思った

鵜沼さんの家（双葉町）

二〇二三年九月一日、私は浪江町《なみえまち》と双葉町との境界にある葬儀場にいました。葬儀場の先は、帰還困難区域を示すバリケードが張られていて、少し涼しくなった夜風にまぎれて、虫の声だけが響いていました。

「帰還困難区域」には、立ち入ることはできませんが、手前はかつて、居住制限区域と避難指示解除準備区域とに分けられていた地域で、二〇二〇年三月までに避難指示が解除されました。それまでは、私が立っていた葬儀場も、約九年間、立ち入れませんでした。事故の直後に避難指示が出て、四月二二日に避難指示区域の設定が行われ(図1(上))、一三年に区域の見直しが行われました。そして、事故から六年後の一七年三月に、「帰還困難区域」を残して、ほとんどの地域の避難指示が解除されたのです(図1(下))。しかし、残念ながら放射線量は事故前の数値には戻っていません。

少し遅れて駆けつけると、すでに席に座っていた鵜沼さんは「あっ」と私を見つけて手を振り、その瞬間、笑顔を崩し泣き出しそうになりました。つられて、私も涙が溢《あふ》れそうになるのを我慢して隣の席につきました。

図1　2011年4月22日に設定された避難指示区域(上)。その後、避難指示区域は要件を満たしたとされた地域から解除されていった。下は、2023年5月時点の避難指示区域の概念図。多くの地域の避難指示が解除されている(福島県のHPをもとに作成)

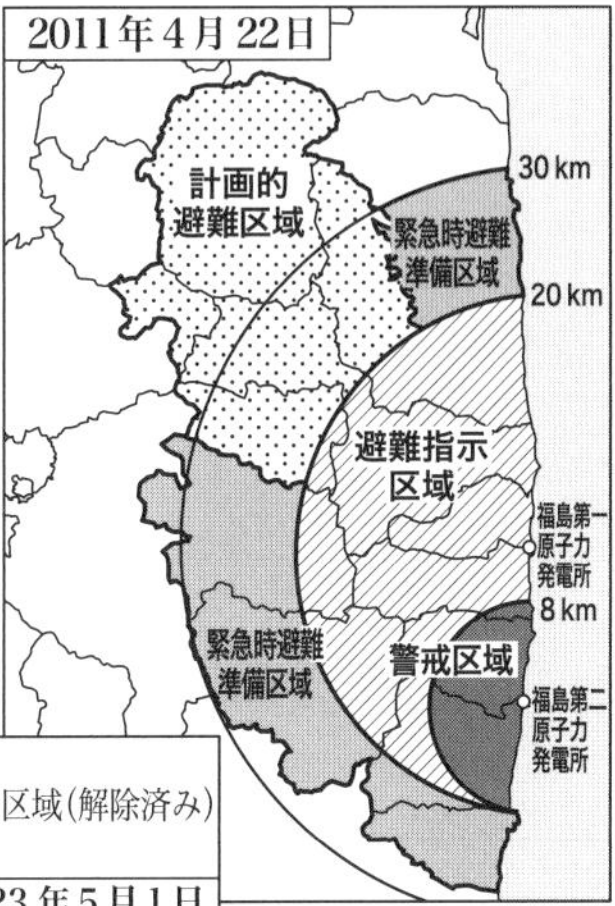

この日は、浪江町大堀地区に住んでいた木場尚子さんのお通夜《つや》でした。木場さんは、数年前から大病を患い、闘病の末に亡くなりました。新型コロナウイルス感染症への不安が広がり始めた二〇二〇年二月に、鵜沼さんと私は、埼玉から、南相馬市原町区に住まいを構えた木場さんの家に会いに行きました。木場さんはいつも、美味しいご飯を用意して待っていてくれました。鵜沼さんと木場さんは、事故前から親しく付き合い、原発が爆発した直後も、共に過ごした二人だったのです。

二〇一一年三月一一日

二〇一一年三月一一日、双葉町での生業《なりわい》が「牛飼い」だった鵜沼さんは、いつも通り、牛の世話をしていました。夫と二人、手作りで建てた牛舎で、子牛から育ててあげてはせりに出し、生計を立てていたのです。働き者の鵜沼さんは、牛だけではなく、田んぼでの米作りや、かつてはタバコの葉の生産などもしていたと言います。当時、母家《おもや》には鵜沼さんと夫が住み、隣接した家に、娘夫婦と孫が住んでいました。

午後二時四六分、鵜沼さんは経験したこともない大きな地震に見舞われました。三陸沖を震源としたマグニチュード九・〇の、日本国内観測史上最大規模の地震です。最大震度七、鵜沼さんのいた双葉町は震度六強の揺れが三分以上、その間に強い揺れが何度か押し寄せるように続きました。地震が収まったあと、鵜沼さんは、真っ先に孫を学校に迎えに行きました。そして、外出中だった娘と連絡を取ろうとしましたが、何度かけても電話がつながらなかったそうです。

この頃、東日本では誰の電話もつながりにくくなっていました。私も、埼玉県でそれを経験しています。もしかしたら、大きな地震などの自然災害を経験したことがある人は、同じ経験をしているかもしれません。総務省は、「三月一一日の東日本大震災により、固定電話約一二〇万回線、携帯電話基地局約一万五〇〇〇局が利用不能となったが、原因の八〇%以上が広範囲かつ長期間に及んだ商用電源の停電である」と発表しています。

今でこそスマートフォンは普及し、調べたいことがあれば、すぐに検索できますが、二〇一一年当時は、個人のスマートフォン普及率は全国でもわずか九・七%、福島県は六・八%でした(総務省・通信利用動向調査、平成二二(二〇一〇)年)。情報を得る主な手段が、テレビかラジオしかないという人のほうが多かったのです。だから、鵜沼さんは震源地の近くにいましたが、大津波が沿岸部を襲ったことも、福島第一原子力発電所がその津波で襲われたこともしばらく知りませんでした。

幸い、外出していた鵜沼さんの娘は無事に帰宅し、孫を引き渡すことができました。鵜沼さんの記憶では、夕方になってから、防災無線のスピーカーから、「原発から三㎞圏内は避難してください」という放送が聞こえたそうです。鵜沼さんは、夫と二人、ご近所の家族も車に乗せて、近くの公民館に行きました。でも、鵜沼さんは避難するつもりはなかったそうです。子どもがたくさんいるご近所さんの避難を助けるために連れてきたものの、自分たちは「牛の世話があるから」と、そのまま家に戻ったと言います。

最初の福島原発の爆発が起きたのは翌日一二日の午後三時三六分ですが、地震と津波から約一時間後には電源を喪失《そうしつ》し、その日のうちに危機的状況に陥っていました。情報から閉ざされた現地でそれを知っていたのは、住民避難に対応しなくてはならない、ごく一部の町役場職員、消防、警察のみです。むしろ、停電が発生せず、テレビ報道を観られていた被災地以外の全国の人のほうが、原発の危機的状況を知るのが早かったのです。

多くの人々が、どのくらいの規模の事故なのか、どのくらいの期間、避難しなくてはならないのか、どのくらい遠くまで行けば安全なのか、知らないまま避難を余儀なくされました。そもそも、何のために避難するのかを知らない人もいました。このことは、これからの原子力防災のためにも、決して忘れてはならない、重要なことです。

鵜沼さんは、一一日の夜、余震がひどかったので家の中ではなく、寒いトラックの中で過ごしました。マグニチュード五・〇以上を観測した余震は、この日だけでも一五〇回以上ありました。牛が地震に驚いて逃げるかもしれない、牛が逃げたら回収するのが大変、という頭しかなかったと言います。もちろん、まだ原発の状況も知りません。鵜沼さんは、朝になるまで牛舎を見守りながらトラックで過ごしていました。

浪江町大堀地区・木場さん

ちょうど地震のあった同じ頃、浪江町大堀地区にいた木場尚子さんは、タバコ畑をトラクターで耕していました。突然、大きなヒノキの森がゆさゆさと揺れ、しだいにトラクターがひっくり返るかと思うほど揺れ始めました。慌てて木場さんはトラクターを降りると、急いで家に走りました。なぜなら、足の不自由な夫がいたからです。「お父さん！　あぶねぇ！」と木場さんは叫びます。要介護三の認定を受けていた夫を木場さんは抱きかかえて外に運び、揺れがおさまるまで待ちました。

しばらく経ち、停電や断水を想定して、米を炊き、お風呂を熱めに沸かし、バケツ・ボウル・鍋などに水を汲んで、夕食の支度を済ませました。夜には思った通り、停電になりました。仕事に出ていた息子も帰宅し、ロウソクの灯りで食事を済ませ、お風呂に入ると、不安な気持ちで横になりました。余震は続き、眠れなかったと木場さんは言います。

翌朝、残りのご飯で食事を済ませた頃に、隣組の組長が来て、「やすらぎ荘(高齢者福祉施設、老人いこいの家)に避難しろって行政区長から連絡があったよ」と聞かされます。避難する理由は、その隣組の人にも、木場さんにも、わからなかったそうです。

やすらぎ荘には、地域の人たちが集まっていました。食堂で働いていた木場さんは、みんなのご飯の支度を始めました。大きなアルミ鍋とガスコンロ四台で米を炊き、地域の人が持ってきたたくあんや自作の漬物でおにぎりをつくりました。そのうちに、双葉町や大熊町からもたくさんの人が避難してきたため「米が足んねぇくなる」と思い、「米持ってきてー」と近所の女性に頼んだりしていたそうです。

町ごと避難になった双葉町

一方、鵜沼さんも、牛舎のそばで一二日の朝を迎えていました。近くの避難所に炊き出しの食料を求めて向かうと、「ここからも避難してください」「一〇km圏外に行ってください」と言われます。それでも、鵜沼さんはまず、牛舎に戻りました。餌《えさ》と水をあげるためです。

それから、ようやく避難をします。

双葉町が町ごと避難になったのは、一二日の朝七時です。鵜沼さんが出発したのは一〇時頃でした。双葉町の多くの人は原発から約五〇㎞離れた川俣町に避難をしました。でも、鵜沼さんは「川俣町では遠すぎて牛の世話に戻れない」と考え、一〇㎞圏外に出ればいいのならそこまで遠くなくてもいいだろうと、浪江町の津島地区(原発から約三〇㎞)を目指します。この避難の途中、鵜沼さんは渋滞に巻き込まれますが、その時に会った知り合いに「浜がなくなっちゃったよ、流されちゃったんだよ」と教えてもらい、初めて津波を知ったそうです。

鵜沼さんが目指した浪江町津島地区へは、普段なら三〇~四〇分で行ける距離ですが、四時間ほどかかり、午後二時頃に到着しました。原発周辺から多くの人が逃げたため、国道一一四号が大渋滞を起こしたのです。津島地区に向かう道路は、その一本しかありません。

この渋滞の中で、「後ろから見えないものに追いかけられているような焦る気持ちだった」と話してくれた人もいます。実際に、放射性物質は目に見えないので、その恐怖は容易に想像できます。そしてその間も、繰り返し、余震が襲っていました。

原発、爆発……

一方、木場さんは、まだ避難を開始していませんでした。原発からおよそ一〇kmのやすらぎ荘には、たくさんの人が残っていたのです。

午後になり、夫が「トイレに行きてぇ」「やすらぎ荘のトイレには入りたくねぇ」と言い、木場さんは夫と二人、自宅へと戻ります。自宅のトイレは夫が使いやすい洋式のトイレ。安心できるだろうと思い、ゆっくり坂をのぼって、高台にある家に戻りました。

家の外に備え付けてあったトイレに入り、夫が用を足している間、木場さんは外で待っていました。「もう終わった？」と声をかけ、「終わった」と夫がドアを開けた瞬間、「バーン！」という大きな音がしました。音のした方向は南東。二人で顔を向けると、白いけむりがまっすぐに上がり、スーッと消えました。

「ああ、原発、爆発したぁ……」。

木場さんは咄嗟《とっさ》に時間を確認すると、午後三時三七分。あとでわかったのが、一号機の爆発は三六分だったこと。三〇秒ほど、音が聞こえるまでの距離があったのかもしれないと木場さんは考えたと言います。

二人で「みんなに言ってくっぺ」と慌ててやすらぎ荘に向かい、近くにいた人たちに「原発が爆発した」と伝えて回りました。やすらぎ荘では、近所の電気屋さんが自家発電機を設置し、テレビが観られるようになっていましたが、テレビでは爆発したことをやっていませんでした。そして、どんどんやすらぎ荘には人が集まってきていました。

爆発から三〇分ほど経った時に、白い防護服を着た人が、何かを測りながら「ここは三五あるな……」と言い、そのまま帰ってしまったと言います。木場さんは、不思議に思い、その数字を覚えていたそうです。「なんで、あんな格好をしているのだろう？」「三五、ってなんだろう？」と。

人が溢れていた避難所

津島地区に着いたものの、ほとんど何も食べていなかった鵜沼さんは、高校(浪江高校津島校)の避難所に着いてようやく、炊き出しをもらえたと言います。座る場所もないほど、避難所には人が溢れていました。津島地区は山あいにあり、普段は静かな地域ですが、道沿いの家にはたくさんの人、通りも車だらけ、人だらけだったそうです。何しろ、人口一六〇〇人ほどの津島地区に、町のほうから一万人ほどが避難してきていたのです。

ちょうど、鵜沼さんが高校で落ち着いた頃に、一号機が爆発しています。津島地区は、最も放射能汚染に見舞われた地域です。その汚染は主に一五日に降った雪や雨によるものですが、この頃にも、風に乗って放射性物質は津島地区にも運ばれていたかもしれません。でも当時、誰もそのことを知ることはできませんでした。

一方、やすらぎ荘に残っていた木場さん。爆発から二時間ほど経って、ようやく役場から連絡が入り、「バスで津島の高校に行くように」と言われます。木場さんは、バスに乗ってしまうと、何かがあっても戻ってこられないと考え、軽トラに積んでいた布団や毛布を息子の車に乗せ替え、バスの後ろについて、津島に向かいました。この頃は、「二〜三日で帰れるだろう」と考えていたそうです。

午後七時頃、津島の浪江高校津島校に着いた木場さんは、教室に入ることができましたが、食べ物がなく、お腹がすいていました。教室も体育館もどこも人でいっぱいで、廊下で過ごす人もいました。長座布団や毛布は、体の悪い夫のために用意したもの。木場さんは何か借りられるかと思っていましたが、何も渡してはもらえませんでした。

その日の夜中には、東京電力(以下、東電)の制服を着た人が、避難所の中を、家族を探しながら「メルトダウンしてんだ、早く、こんなとこにいちゃいけないんだ、早く逃げろ」と、誰に言うともなく、言って歩いていたのを、鵜沼さんは聞いています。この頃、爆発をした一号機だけではなく、それ以外の原発にも次々と危機が迫っていました。鵜沼さんはこの言葉を聞いた時に初めて、原発が危険な状態にあることを知りました。

そこに避難していた人たちも不安になり「逃げなくちゃ」「でもガソリンがない」「山形か」「新潟か」と口々に言い、鵜沼さんも「一緒に逃げよう」と誘われましたが、「私は牛がいるから、これより先は動かないから」と断り、いざとなったら歩いてでも牛のために家に帰ろうと考えていたと言います。「ガソリンがない」という証言も重要です。鵜沼さんの車も、ガソリンがほとんどなかったそうです。牛の世話のために、歩いて戻ってもいい、途中で車が止まったとしても、津島地区から双葉町までは下り坂が多いから、何とか走るんじゃないかと考えていた、とも話してくれたことがあります。

ガソリンがなかったのは、ガソリンスタンドの人も、避難をしなくてはならないからです。また、災害時の停電によって給油もできなくなったりします。その後一週間以上、地震による道路の寸断によってタンクローリーも移動ができず、広範な地域でガソリン不足が発生していました。

この日の夜は、避難所の扉がしっかり閉められ、「外に出てはいけません」と言われたことを鵜沼さんは覚えています。

「この先は行けません！」

翌朝になると、「おにぎりきました！」「パンがきました！」というアナウンスがあり、言われた通りに木場さんは列に並びましたが、直前で「終わりました」と言われ、おにぎりもパンももらえなかったと言います。

教室に戻ると、もらえた人が、少し分けてくれたので、夫と二人で、分けあって食べたそうです。そんな時に、鵜沼さんは「誰か知り合いがいないか」と探し回り、木場さんを見つけます。鵜沼さんは、木場さんが食べていないことを知り、「活性化センター（津島地区の他の避難所。以下、センター）のほうを見てくっから」と言って出かけていきました。

鵜沼さんは、三人分の居場所をセンター内に確保して、高校に戻ると、「場所は通路だけど三人なら入れそうだったし、暖かいし食べ物もあるから、あっちに行ったほうがいいよ」と木場さんに言いました。木場さんは、鵜沼さんが場所を確保しておいてくれたこと、食べ物に困らないようにしてくれたことにとても感謝したそうです。高校の避難所には食べ物が足りていませんでしたが、センターのほうには食べ物がそれなりにあったそうです。そして、それっきり、二人は別れたままになってしまいます。

同じ頃、鵜沼さん夫婦は、二人で牛の世話のために双葉町の自宅に戻ろうとします。でも、すでにバリケードが張られ、戻れなくなっていました。自衛隊や警察が白い防護服姿で、「この先は行けません！」と立っていたのです。避難した人はみな、着の身着のままで、ほとんど物を持ち出していませんでした。「泥棒に入られるのではないか」という心配の声もあったそうです。

一五日には、とうとう「津島地区からも出て、もっと遠くに避難をしてください」と言われます。鵜沼さんは、牛に餌を与えなくなって三日目、水も限界、牛が死んでしまう、そのことばかりを考えていたと言います。それでも、避難はしなくてはならない。鵜沼さんは隙《すき》があれば、バリケードを抜けて、自宅に戻ろうと様子を見ていましたが、「絶対に原発方面には行ってはだめ」と言われ、やむなくあきらめ、二本松市へと避難していきます。

この当時、鵜沼さんは、放射能の危険性などは知らず、考えもしていませんでした。「原発は安全」「絶対に事故は起きない」ということは言われていたものの、原発事故が起きたら何が危険で、どう影響があるのか、ということについては、教えてもらっていなかったのです。また、避難訓練はありましたが、その訓練での事故シナリオは、ゆっくり異常な状態になり、かつ半日ほどで収束する設定だった上、参加する人は狭い限定的な地域の人だけでした。鵜沼さんだけではなく、多くの人が、初めて原発の深刻な事故について考え、想像して動くしかありませんでした。

この頃の原発の危機的状況を裏付ける資料は、WEBにも残っています。例えば「政府事故調査委員会ヒアリング記録」です。福島第一原発の所長を務めていた吉田昌郎氏は、多くの職員とともに原発事故の対応にあたっていました。その約半年後に受けたこのヒアリングでは、三月一四日から一五日にかけて、「ここは私が一番思い出したくないところ」「ここで本当に死んだと思った」と表現し、「チェルノブイリ級ではなくて、チャイナシンドロームではないですけれども、ああいう状況になってしまう」「放射性物質が全部出て、まき散らしてしまうわけですから、我々のイメージは東日本壊滅《かいめつ》ですよ」と語っています。

紙一重で、あるいは単なる偶然で、その状況から脱したからこそ今があるのですが、当時、そのような絶望的な情報はほとんど知らされていません。テレビでは枝野幸男官房長官(当時)が「ただちに人体に影響はありません」と繰り返していました。さまざまな「専門家」が登場し、今思えば、楽観的なコメントをしていました。でも、「絶対に起きない」と言われていた原発事故が起きた中で、テレビを観ることができていた日本中の誰もが「これは相当まずい状況にあるのではないか」と感じていました。

原発の近くにいた人ほど、逃げるためにいち早く知るべき情報が、全く伝えられなかった。鵜沼さんのように、避難所に行って初めて、原発事故の状況を知った人もたくさんいます。

二本松市の廃校になった体育館に着き、鵜沼さん夫婦の避難所生活は続きました。最初の頃は、おにぎり一個、パン一枚を二人で分け合って食べていたそうです。

その様子を知ったのか、すぐに避難先の地域の人が、野菜や米、味噌などと一緒に、鍋や包丁、まな板、ガスなども用意してくれ、炊き出しができるようになりました。鵜沼さんは雑炊などをつくってみんなに食べさせていたそうです。地域の人や、避難所の中からも手伝ってくれる人も出て、その避難所を出る朝まで、みんなのご飯をつくっていたと言います。

地域の温かい思いやりに触れる一方で、「双葉のお前らに食わせるものは何もない」「お前ら東電でさんざん良い思いして、今さら俺たちにものを食わせろなんてくるんじゃない。放射能では死なないんだから、一日でも早く、ここから消えてくれ」といった心無い言葉も投げかけられました。

大きな地震と、津波、原発事故で追われるように逃げ、ようやく辿《たど》り着いた土地で、そんなことを言われた鵜沼さんは、驚き、傷つきました。また、避難所に「飲むか」と、牛乳を持ってきてくれた人がいたそうです。

「みんなお腹すいているので、温めて飲ませたいので、いただけますか」と鶉沼さんが言うと、「いくらでも持ってきてやる、タンクひとつ持ってくるか」と言われ、鶉沼さんは驚いて「ここは六〇人くらいだから、そんなにいりません、バケツ二つ三つあればいいです」と答えました。その牛乳を温め、みんなで喜んで飲んだと言います。

翌日にも持ってきてくれたので、鶉沼さんは「双葉町の人、みんな他にもどこかに避難をしているんですが、私は持って行くことができないんです。どこにいるのかもわからない。他の人にも配ってくれませんか」とお願いしたところ、「お前らみんな飲め。うちの牛は放射能あびて牛乳が売れないんだ。ここにいるお前らで処分しろ」と鶉沼さんは言われてしまいます。その時初めて、その牛乳は、捨て場に困った牛乳だったようだ、と知ります。一二日には集乳車(毎日、絞った原乳を取りに来る車)はストップし、一六日には、緊急モニタリング(測定)と言って、福島県は川俣町の原乳の放射能濃度の測定をしています。その結果、基準値以上の放射能が出てしまい、福島県内の原乳は出荷制限されているのです。チェルノブイリ原発事故でも、放射能汚染された牛乳を飲み続けたことで子どもたちが甲状腺がんになったと言われています。測定の結果でも基準値を超えてしまったため、福島県全域の原乳は、約一カ月出荷制限されたままでした。

鵜沼さんは、この時、「あぁこれから色々な人に、こうやって言われて過ごしてかなきゃなんないのか」と思ったそうです。「こうやって」というのは、「原発立地自治体でいい思いしてきたのだろう」ということです。

「原発マネー」といって、原発立地自治体の財源には、電源三法による交付金、原発関連施設の固定資産税、電力会社からの寄付金などが入ります。日本のエネルギー政策に協力し、それを支える役割を果たしているとして、国もさまざまな支援を行います。また、原発関連の雇用をもたらし、人の出入りによる観光業や飲食業なども影響があります。そういったことを「原発の恩恵」と表現するのですが、かといって、近隣に住む全員が、その「恩恵」を受けたとは言い切れません。そしてその「恩恵」とやらと引き換えに、原発事故によって人生を丸ごと奪われ、それが「いい思い」だとは、誰も思えないでしょう。

スクリーニング検査

同じく、木場さんも、二本松市の針道に避難をしていました。廃校の小学校は津島の避難所よりも過酷でした。木場さんは体育館を割り当てられ、一枚の毛布だけで寒さを凌《しの》ぐしかありませんでした。木場さんは、二日ほどしてから、「みんな並んでー!」と言われ、スクリーニング（体表面の放射性物質の測定）を受けます。頭から服、靴の底まで測ると、夫と木場さんと息子、役場の男性の、合わせて四人が「基準値を超えている」と言われました。

木場さんは「ああ、やっぱり、外にもいたからなぁ」と思ったと言います。役場職員の男性の車に乗せてもらい、二本松市の男女共生センターの駐車場にあった自衛隊のシャワーテントで、シャワーを浴びました。その後、「着ていた服はすべて捨ててください」と言われ、用意してあった服をもらって着ました。しかし、靴はなく、帰りはスリッパで帰るしかありませんでした。その時に数値を尋ねたものの、「うん、機械が動いたから」「放射能がくっついているから」としか言われず、少しバカにされたような気持ちがしたと、木場さんは話しています。

スクリーニング検査でひっかかり、シャワーを浴びた人は、数値を知らされませんでした。木場さん以外にも、記録を残してもらえなかったと話していた人もいます。本来であれば、「どれだけ被ばくしてしまったのか」という記録はとても重要で、残されるべき個人情報でもあります。しかし、原発事故で「誰が、どれだけ被ばくしてしまったのか」という重要な記録は、ごくわずかしか、残っていないのです。

双葉町→二本松市→川俣町→さいたま市

鵜沼さんはその後、二本松市から川俣町に移動し、双葉町の多くの町民と一緒にバスで埼玉県さいたま市にあるさいたまスーパーアリーナ(以下、スーパーアリーナ)に避難します。双葉町から二〇〇㎞も離れた、初めての土地です。スーパーアリーナには、一九〇〇人が避難していました。そこは、双葉町だけではなく、福島県内の他の地域からも避難してきている人たちで「こんなに人がいるもんかな」と鵜沼さんは思うほど、ごった返していたそうです。

鵜沼さんの頭の中はこの頃、牛のことでいっぱいでした。双葉町の畜産農家の人、牛をどうしているだろう。これからどうやって生活をやり直していったらいいのだろう。埼玉に来た一九日頃には「もう牛は、死んでしまっているな」と思っていたそうです。死んでしまった牛を見たくない、だから戻りたいけれど戻りたくない、とも考えていました。

しかしスーパーアリーナも三月末には閉鎖されることになります。双葉町から避難をしていた町民は、集団で加須市《かぞし》にある旧騎西《きさい》高校に行くことになりました。鵜沼さんは三階の四〇人ほどの教室に落ち着き、娘夫婦と孫は、隣の教室でした。

この頃、テレビ、新聞などでも報道されたのですが、避難区域の牛たちは次々と殺されていきました。原発から二〇km圏内に、牛は約三五〇〇頭、豚約三万頭、鶏約六七万五〇〇〇羽が放置されていました(『朝日新聞』二〇一一年五月九日付)。受け皿になる農家もあり、助けられた動物もいましたが、殺処分となった動物は、掘った穴に埋められました。

鵜沼さんは、福島県で畜産に携わる女性から「あんたら、いいねぇ、牛殺して金もらって、のうのうと暮らしてんだべ」と言われたことが忘れられません。鵜沼さんも夫も、それを黙って聞いていましたが、一番ショックを受けた言葉だった、と思い返しています。

働き者の鵜沼さんは、避難先に求人情報がやってくると、すぐに働き始めました。加須市でも、夫婦で農作業を始めたのです。その後、「家と農地を貸します」という張り紙も見つけ、米作りも再開。それは一二年経った今も続き、鵜沼さんは避難先の埼玉にある大手スーパーに野菜をおろしています。双葉町では米は毎年つくっていましたが、野菜をつくるのは初めてでした。販売できる野菜に育てるために、鵜沼さんは避難先で、夫婦で励まし合いながら、努力をし続けてきたのです。

一方、木場さんも三月の下旬には、二本松市の避難所から、仕事を探しに出ています。鵜沼さんも木場さんも、本当に働き者で、驚いてしまいます。

木場さんは、避難所で浪江町の自転車を借り、二時間もかけて求人のあったゴルフ場に到着すると「もう終わりました」と言われてしまうのです。お腹もすいて、途方に暮れていたところに今度は雪が降り始めます。周りのお店はどこも閉まっていましたが、たまたま見つけたガラス戸のお店で「カップラーメンありますか」と尋ねました。幸い、カップラーメンがあり、「お湯も、もらえないかなぁ」と言うと、お店の人が、「いいから、こたつに入れ、入れ」と言ってくれたそうです。

こたつに入って、カップラーメンにお湯を入れてもらうのを待っていましたが、なかなかきません。しばらくすると、丼に、野菜がたっぷり入ったラーメンがやってきたのです。お店の人は、自転車に「浪江町」という札がぶら下がっているのを見て、「避難している人なんだ」と知っていました。食べ終わって、体も温まり、ほっとして「おいくらですか」と尋ねると、お金はいらないとお店の人は言います。「その代わり、自転車をあたしの軽トラックさ載せっから、避難所に案内して」と言われるのです。体育館に着くと、そのお店の人は、中も見たいと木場さんに言い、「布団もなにもねぇ、寒そうだなぁ」と驚いていました。

「もう一回、木場さん、うちさ戻っぺ」と言い、二人でお店に戻ると、その人は、布団や毛布、ポータブルトイレなども軽トラに積み込み、再び体育館に戻りました。お店の人は木場さんに使ってもらう物資として持ち込んだのですが、布団や毛布は、その場にいた人がすかさず持っていってしまいました。それでも木場さんは、この時のお店の人の対応がとても嬉しかったと話し、「いつか、お礼に行きたいんです」と、しみじみと思い返していました。

木場さんは、その後、四月には、猪苗代町《いなわしろまち》の民宿に避難場所を移ります。そこは、「えびすや」という民宿でした。大規模農家でもあるその民宿で、木場さんはビニールハウス張りも手伝ったりしたそうです。働きたくて仕方のなかった木場さんは、そのビニール張りの話をしながら、「この時ね、ほんとさ、「あー、なんか、働いたなぁ」って、生きがいを感じたの」とニコニコしていました。この時の「生きがい」という言葉はとても心に残っています。

避難先で、どんな人に出会い、どんな出来事があったかということが、その後の避難生活にどう影響するか、私は色々な避難者の方々にお話を伺う中で、とても考えさせられてきました。鵜沼さんのように、心無い言葉をかけられたり、つらい出来事があったりすると、心の傷は想像もつかないものです。ただでさえ、原発事故によって苦しい状況に立たされているのに、さらに追い討ちをかけられ、回復に時間がかかってしまう方もいます。避難先でのいじめを経験した子どもたちも、苦しみ、不登校になったケースがたくさんありました。

一方、木場さんのように、温かい出会いがあれば、原発事故の苦しみも、ほんのひとときだけでも、和らぐのです。災害の多い日本です。このことは、どうか、その立場になって想像してみてほしいと思います。

長引く避難生活

避難生活が長引く中、鵜沼さんの夫はがんになってしまいます。鵜沼さんは、お医者さんから「もう長くはない」と言われ、看取りのために埼玉県に中古の家を求めました。「お父さん(夫)の死ぬ場所があったほうがいい」「家から火葬場に連れて行きたい」という思いがあったからです。葬儀場に行く前に、一晩でも家で過ごすのが慣習で、それをしてあげたかったと鵜沼さんは言います。二〇一七年、鵜沼さんの夫はがんで亡くなります。

一方、木場さんも、二〇一四年に実父と夫を立て続けに亡くしています。木場さんの夫も、「俺の葬式は、仮設からあげたくねぇな」と話していたそうです。

その間、木場さん自身も、入院したり、外科手術を受けるなど、大変な時期もありました。それでも、二〇一六年には、介護の勉強を始め、資格を取得すると、木場さんは介護の仕事も始めていたのです。そして、福島県に家を構え、息子と一緒に暮らしていた矢先、木場さん自身にも、がんが見つかったのです。

「もう帰れないな」と思った

原発事故前、双葉町には、七〇〇〇人ほどが住んでいました。でも、一二年が経ち、町の一部で住むことができるようになっても、三二人ほどしか帰っていません(二〇二三年九月現在)。浪江町も、二万一〇〇〇人ほどが住んでいましたが、現在は一四〇〇人ほどです(二〇二三年九月現在)。

「私たちは、チェスの駒じゃない。出ていけ、帰れと言われて、すぐに移動なんてできない」と別の避難者さんが話してくれたことがあります。その通りです。双葉町の一区画に、復興公営住宅ができても、はい、帰ります、と簡単にはいきません。

原発事故から一二年かけて、なんとか積み上げてきた避難先での生活もあります。やむなく新しい仕事についた人もいます。友だちが誰もいない場所で、新しい学校生活を送ってきた人もいます。避難をし続け、ようやく居場所が見つかったかもしれない(あるいは、まだ見つからずに苦しんでいるかもしれない)ひとりひとりの一二年の暮らしを、また「壊して」元に戻れ、というのは暴力的なことです。

また、双葉町の放射線量は、除染《じょせん》をしたとはいえ、原発事故前の数値には程遠い、ということもあります。事故前の数倍、数十倍、数百倍の放射線量が残る場所には「まだ帰りたくない」という人もいるでしょう。赤ちゃんや子どもがいたら、被ばくの健康リスクを考えるとなおさらです。病院もスーパーも薬局も美容院も飲食店も、近くにはまだありません。隣町まで行かなくてはならない不便な状況もあります。行政の言う「住んでもいい」は、ひとりひとりの「住みたい」「住める」という選択や判断とはイコールではないのです。

鵜沼さんの牛舎

木場さんは、二〇一六年の三月のお彼岸に、夫の骨を持って浪江町大堀の自宅に行き、「お父さん、帰ってきたよ」と言った時、初めて「あー、帰れねぇな」と思った、と話してくれました。それまでは、部屋も水回りもリフォームしてあり、地震でも崩れず、問題は放射線量が高い、ということだけでした。原発事故の年は、家の裏手が毎時一二〇〇マイクロシーベルト(事故前の三万倍以上)もあったそうですが、放射線量が下がってくるのなら、戻ろうと考えていたそうなのです。

しかし、家の中には、動物が入った形跡があり、イノシシの糞がたくさん落ちていました。天井も壊れ、縁側も壊れ、ハクビシンがきて、めちゃくちゃになっていたそうです。動物に荒らされて、「もう帰れないな」と思った、と話してくれた人は、木場さん以外にも、たくさんいました。

先日、私は鵜沼さんの自宅(章扉)と、牛舎にも立ち寄りました。一二年のあいだ、人の手が入らなかった崩れかけた牛舎は、夫と二人で手作りしたものです。その牛舎で、鵜沼さんは、足先で何かを触るような仕草をしていました。よく見ると、牛舎から脱走できずに死んでしまった牛の骨でした。足元をあらためてよく見ていると、一二年が経っても、そこかしこに牛の骨は散らばったままだったのです。

牛舎を出る時に、「これに比べたら、私らはまだマシでしょう」と笑顔で私に言いました。牛の死ぬ苦しみに比べたら、避難は我慢ができる程度の苦しみだ、という意味です。私は、何も返せませんでした。

2 章
原発から 60 km の郡山市で
――母子避難を経て

郡山市の風景

「家族」と原発事故

原発事故の影響で、たくさんの家族が暮らしを変えられてしまいました。「母子避難」という言葉をご存知でしょうか。文字通り、母親と子どもだけで避難をし、父親は福島県に残って仕事を続けた、そういう避難形態のことを指します。母親と子どもだけで避難をしたのは、原発事故による、放射能汚染から子どもを守るためです。

この母子避難は、政府からの避難指示がなかった地域の人々が、選択させられた行動のひとつです。避難指示がなくても、原発事故後、放射線量は上がりました。たくさんの人々が、「避難するか」「とどまるか」を迷い、選択させられたのです。

「強制避難（避難指示によって避難させられた人々）」と区別されるために、いわゆる「自主避難」とも言われます。「自主」という言葉では、「自主的に」という意味合いが強調され、「勝手に避難を選択した」と思われがちですが、私は、「選択させられた」のだと考えています。なので、「【いわゆる】自主避難」、「区域外避難」と書くようにしています。あるいは「自力避難」と言う人もいます。

避難指示が出なかったのなら、被害はなかったのではないの？　と思う人もいるかもしれません。でも、放射性物質はプルーム(雲)にのって流されていくので、避難指示のあった双葉郡の境や、福島県境で止まるということはありませんでした。

例えば、福島県が事故直後から、県内七カ所の放射線量を測定した記録は、今もＷＥＢで見ることができます(県内七方部　環境放射能測定結果)。それによると、原発から六三㎞離れた福島市でも、三月一五日の夕方六時半には、毎時二四マイクロシーベルト(事故前の六三〇倍以上)を記録し、緩やかに減っていくものの、その高い数値を維持していました。五八㎞離れた郡山市の記録は、庁舎三階での測定だったため、直後の記録はあまり参考にならないのですが、三月二四日の記録では、福島市も郡山市も毎時四マイクロシーベルト程度(それでも事故前の一〇〇倍程度)という記録が示され、つまり事故直後は、福島市と郡山市はさほど変わらない放射線量(事故前の六〇〇倍以上)だったことがわかります。

また、栃木県宇都宮市でも、同じく三月一五日には毎時一・三三マイクロシーベルト(事故前の三四倍)を記録し、福島県との県境にある那須町では、毎時一・七五マイクロシーベルト(事故前の四六倍)を記録しています。

ちなみに、三月一六日にアメリカは、日本に滞在する自国民に対して福島原発から半径八〇㎞圏内から退避するよう勧告を出しています。つまり、アメリカの人は、福島市や郡山市からは避難していたはずなのです。一方、日本政府は、まず、一一日の夜に三㎞、一二日早朝に一〇㎞、夕方には二〇㎞と同心円状に避難指示を出しました。しかし、その同心円状による指示の出し方は、放射能汚染の実態とはそぐわないものでした。

その後、事故から一カ月ほど経過してから、拡散した汚染による被ばくの量(被ばく線量)を用いて、避難指示を設定し直しました。その基準となったのが、「年間の被ばく線量二〇ミリシーベルト」です。この時の見直しによって、三〇㎞を超えた一部の地域にも避難指示が出ました。しかし、一時は事故前の六三〇倍の放射線量を記録した福島市や、同等の被害を受けた郡山市などの「中通り」と言われる人口の多い地域には、避難指示は出ませんでした。

この「年間二〇ミリシーベルト」の問題は後々にまで影響を及ぼします。本来は、一般の人々の被ばく限度は、「年間一ミリシーベルト」です。原発事故が起きたら、二〇倍まで我慢させられることになり、当然多くの人々が、特に子どもたちの保護者がこの決定に反対の声をあげました。

二〇二三年現在も、「年間二〇ミリシーベルト」は避難指示が解除される基準になっています。一方で、除染《じょせん》(放射性物質を取り除く作業のこと)の目標値は「年間一ミリシーベルト」です。この「年間二〇ミリシーベルト」や、避難指示・解除のあり方については、被ばくをめぐる議論として、改めて検証されるべきことではないかと私は考えています。

郡山市の岩田さん

二〇一一年三月一一日、福島県郡山市(原発から六〇㎞ほどの地域、当時の人口は約三四万人)に住んでいた岩田結衣さんも、激しい揺れに襲われていました。岩田さんは当時、夫と四歳の息子と暮らしていました。

郡山市でも、電線は波打ち、住宅の倒壊や道路の崩落、断水も起きました。塀《へい》が倒れたり、屋根瓦《やねがわら》が落ちたり、古い建物の壁が落ちたりする被害もありました。直後のスーパーやコンビニには、長蛇《ちょうだ》の列ができ、食べ物がなくなっていました。その一方で、翌日からは原発に近い浜通りの人々の避難を受け入れ始めていました。一二日、郡山市内にはすでに一〇〇カ所以上の避難所が開設され、約一万人が避難をしてきていました。そんな混乱の中で、午後には一号機が爆発したのです。

三月一四日午前、岩田さんと息子は、固唾《かたず》をのんでテレビを観ていました。一二日の一号機爆発のあとも、他の原子炉も一号機と同様に危ない状況になったと報道されていました。岩田さんの両親は原発のある海側のいわき市に住んでいて「このままでは危ないのではないか」と心配していたのです。この頃は、岩田さんに限らず、おそらく全国の人々が、津波被災地と、福島第一原発にあるすべての原子炉の危機を案じていました。

いわき市は、南北に広い自治体ですが、一三日朝八時半には、いわき市の北側(原発側)に位置する久之浜・大久地区では、市独自の呼びかけによる自主避難が開始されていました。

岩田さんは、つながりにくい状況だった電話を何度もかけ続け、ようやく母親とつながりました。「いますぐ、タクシーを手配するから、こっち(郡山市)に逃げてきて」と伝えます。福島県内は混乱していたため、福島県外に住む岩田さんの友人が、タクシーをいわき市へと向かわせてくれました。しかし、父親は「犬がいるから、避難はしない」と頑《かたく》なに言い張り、母親だけが郡山市へと向かいました。いわき市と郡山市は、およそ一時間半から二時間の距離です。母親を待っている間に、友人から「郡山市からも、逃げたほうがいい。あなたの家にもすぐにタクシーを呼ぶから、すぐに逃げて」と再び連絡がありました。

岩田さんは慌てて、福島第一原発から郡山市までの距離を調べました。約六〇㎞。本当にここまで、放射性物質は飛んでくるのだろうか――岩田さんが迷っている時、とうとう二つ目の原発が爆発、午前一一時一分に三号機が爆発したという報道が流れたのです。

テレビでは、枝野幸男官房長官(当時)が爆発後も、「格納容器の健全性は確保されている」「放射性物質が大量に飛び散る可能性は低い」と発表していました。あるいは、何人もの「専門家」が、希望的観測を述べていました。岩田さんは「テレビは信用できない」と思い始め、自分たちの避難の準備を始めました。

いわき市から母が到着し、しばらくすると、友人が手配してくれたタクシーも到着しました。出発しようとした時、隣に住む夫婦が二歳の子どもを抱え、「お願いです。私たちも一緒に乗せてください」と飛び込んできました。岩田さんと息子、母、そして隣に住む親子の六人を乗せたタクシーは、関東に向けて出発しました。目指したのは、隣の夫婦の親戚がいる埼玉県でした。

郡山市から埼玉県までは、通常であれば、東北道を使って約二時間半で着きます。しかし、当時は東北道、常磐道、磐越道などの高速道路は、「緊急交通路」に指定され封鎖されていました。「緊急交通路」とは、人命救助、原発事故対応のための部隊・資機材の運搬、被災地の緊急復旧のための車両のみが通行できるように規制することです。そのため、一般道で南下するしかありませんでした。福島県から避難をする車で道路は大渋滞を起こし、埼玉に到着したのは明け方だったと言います。

東京に住む姉の家に着き、ほっと一息ついたものの、長居をして姉の家族に迷惑をかけることはできません。岩田さんは、広島に住む叔母のところへ避難することを決めました。五日後の一九日、母と息子と三人、タクシーと電車を乗り継いで広島へと向かったのです。広島の叔母は、迎えに出てくれていました。そして、岩田さんたち三人を一目見ると、涙を流したと言います。

「あの時は、戦時中の疎開《そかい》を思い出してしまったのよ」と、のちに叔母は岩田さんに告げたそうです。大きなボストンバッグにコートを二枚重ねて着た岩田さんに、手を引かれた息子の大きなリュックには、衣類と食料が入っていました。その日から、岩田さんは、叔母の二世帯住宅で世話になることになったのです。

同じ頃、郡山市で仲の良かった母親たちも、次々に避難をしていました。「私、避難するね」「私も避難します」とメールで報告し合い、顔を合わせる間もなく、みんなが全国に散り散りになりました。それが、すごく寂しかったそうです。

慌ただしく広島での生活が始まりましたが、四歳の息子を幼稚園に通わせてあげたいと岩田さんは考えました。準備期間は半月もない中、四月から通わせるための準備を始めます。

しかし、手元には名前を書くペン一本すらなく、色鉛筆もアイロンも、入園式の服もありませんでした。見ず知らずの土地では、店の場所もわからず、リュックを背負い、バスを二回乗り継いで、延々と歩いて買い物に出かけ、必要なものを揃えました。

なんとか入園式に間に合い、幼稚園に通い始めたのも束の間、息子の様子に変化があらわれました。一日中、泣き叫ぶようになり、真夜中に突然「お父さんが死んじゃった」と口にするようになりました。父親と突然遠く離れた場所で暮らすことになったこと、地震や原発事故のショックが、息子の心を不安定にさせていたのです。

さらに追い討ちをかけるように、ある日突然、岩田さんの片方の耳も聞こえなくなってしまいました。慌てて病院に行くと、「突発性難聴《とっぱつせいなんちょう》」と告げられます。突発性難聴は、ウイルス感染のほか、ストレスや過労、睡眠不足などが原因だと考えられていますが、岩田さんの原因は間違いなく、ストレスと過労でした。突然の環境の変化に慣れるために、岩田さんも必死だったのです。精神的に追い詰められていた岩田さんは息子が泣き叫んでも、「うるさい!」と怒鳴ってしまうこともありました。

一緒に避難生活を続けていた岩田さんの母親は、のちに「あの頃、あなたが自分の子どもを殺さないか、心配で見張っていたのよ」と話したそうです。それほど、岩田さんはぎりぎりの精神状態でした。

追い詰められていた母親たち

私が出会った母子避難のお母さんたちは、当時、岩田さんのように、本当に追い詰められていました。頼る人が誰もいない知らない土地で、子どもを抱え、一から生活を始めなくてはならないのです。しかも、いつになったら帰れるのか、先は見えません。スマートフォンがそれほど普及していなかったこともあり、買い物をするためのお店、学校や幼稚園を調べるのも、自分で歩き回ってみたり、役場に行ってみたりするしかありませんでした。母子避難をして、「初めて福島県から出て生活をした」という人も少なくなかったのです。

事故当時は、ナンバープレートを見て、福島県から避難をしてきた車を傷つける人、「放射能がうつる」「菌」などと言って差別やいじめをする人すらいて、報道されていた頃でもあります(当然ですが、放射能はうつりません)。そういった差別を恐れ、「避難をしてきたので助けてください」と言うことを躊躇《ためら》う人もいました。

区域外避難した人をさらに苦しめたのは、「避難指示がなかった地域から避難をした」ために、避難をしなかった人とのつながりが断たれてしまったことです。もともと住んでいた家の近所の人や親戚などから「逃げた」と責められること、仲の良かった友人と判断が分かれてしまったことなどで、疎遠になってしまった人が数多くいました。一方、ＳＮＳで情報を得ようとすると、母子避難・区域外避難者や放射能汚染と向き合おうとする人たちは、「気にしすぎ」「放射脳」などと実名・匿名の人からバッシングに遭うことすらあったのです。

また、「自主的避難等対象区域（避難指示が出なかった福島県等の一部）」に対する、東京電力からの賠償はごくわずかで、避難交通費、引っ越し費用、二重生活などの生活費増加分、夫の行き来する交通費、除染費用などの実費や、実際に被《こうむ》った精神的被害を鑑みても、全く足りませんでした。また、その区域からも外れた福島県南部・会津地方の人たちは、このわずかな賠償すら出ませんでした。

この精神的な孤立と、経済的・将来的な不安、心無い差別やバッシングによって心身を壊してしまう人が多かったのも当然のことだったと私は思います。早稲田大学災害復興医療人類学研究所所長の辻内琢也さんは、こういった現象を、「構造的暴力による社会的虐待」という言葉で表現しています。

「いつ郡山に帰れるだろう」

精神的につらい避難生活が一カ月以上続き、岩田さんも息子も限界に近づいていました。しきりに「お父さんが死んじゃった」と言う息子を見て、父親と会える距離に転居したほうがよいと感じるようになり、岩田さんは再び東京の姉の家に一時的に身を寄せることにしました。五月、岩田さんは東京へと戻ります。一カ月半の広島での生活で、自分たちを温かく受け入れてくれた叔母とその家族、幼稚園の先生、園児の保護者たちとの慌ただしい別れがつらく、東京に来てもすぐに新しい幼稚園を探す気持ちになれませんでした。

「いつ郡山に帰れるだろう」と岩田さんはいつも考えていました。しかし、「原発事故は短時間で解決するものではない」と岩田さんは時間の経過とともに、感じ出していました。

母子避難の二重生活の負担を少しでも軽くするために、岩田さんは働くことも考え始めました。しかし、東京都の保育園には空きがありません。役所に何度も問い合わせをしてわかったのは、避難指示のある地域からの避難者には無償での保育サービスがあるものの、区域外避難者には何もないということでした。

岩田さんは、保育園を諦め、息子を公立の幼稚園に入れました。通い始めた当初、息子は幼稚園でたくさんの人形が入った箱を揺らし、地震遊びばかりしていたと言います。それを見ていた先生は、「良かったですね。気持ちを出せるようになって」と話してくれたそうです。岩田さんが思っているよりも、息子は地震の経験を消化しきれていなかったのです。

幼い息子の感情の起伏は依然として激しく、精神状態も良くありませんでした。岩田さんは姉の家から出て、落ち着いて生活ができる環境を整える必要があると考え始めました。

五月中旬から、岩田さんは家探しを始めました。当時、福島県は県全域に災害救助法の適用を決めていました。災害救助法とは、大きな災害が起きた時に、被災者がさまざまな支援を受けるための法律です。福島県全域にその法律が適用されていたので、郡山市から避難をした区域外避難者である岩田さんも、公営住宅や雇用促進住宅、自治体が借り上げたアパートなどに、無償で入居できるはずでした。

原発事故による放射能汚染の影響から、「より遠くへ」避難したい人もいたので、四七都道府県すべてに、多くの避難者がいるという状態でした(二〇二三年現在も四七都道府県すべてに避難者はいます)。ここまで広域の避難は、前例がありません。その混乱のせいか、全国の自治体に避難者に対する救助の通知や要請があったものの、各自治体の対応はバラバラでした。

東京都では区域外避難者への避難住宅の貸し出しを、岩田さんが探し始めた五月には始めていませんでした(始まったのは、六月二〇日からでした)。岩田さんは自費でアパートを借りようとしましたが、どんなに安くても月に八万円以上。高すぎて手が出ず、ウィークリーマンションも探しましたが、子連れはダメだと断られてしまいました。

息子のために、再び転園することは考えられませんでした。隣の市なら家賃が少し安く済みそうでしたが、公立幼稚園は越境通園(市をまたいで通うこと)を認めていませんでした。岩田さんが途方に暮れていると、教育委員会の人が、「家を探しますよ」と思いもよらない提案をしてくれました。そして、数日後、「とても古いけれど、一部屋見つかりました。一緒に行きませんか」と電話がかかってきました。

岩田さんはすぐに向かいました。六畳一間の古いアパート。お風呂の床はコンクリートで、湯船は古すぎて入れそうにありませんでした。台所も調理台がなくコンロだけで、雨戸にいたっては、最近ではほとんど見かけない、木の雨戸。しかし、息子を転園させずに避難を継続しようとしたら、選んでいられません。岩田さんは、そこに住むことを決めたのです。

引っ越しが決まると、必要最低限の安い家財道具をそろえました。幼稚園の副園長先生が冷蔵庫を譲ってくれ、大家さんがカーテン、テレビ、テーブル、カセットコンロを用意してくれました。

そこでの生活が数週間続いたある日、「東京都でも自主避難者へ借上住宅制度が始まった」という知らせを聞きました。避難をしている人が、無償で公営住宅や民間賃貸住宅を借りることができる制度です。岩田さんは、この部屋に住み続けて、その制度を適用させようと考えましたが、東京都に申請すると「耐震基準を満たしていないので、借上住宅にはできない」と言われてしまいます。その後、東京都から耐震基準を満たす代わりの住宅を紹介してもらえる約束になっていましたが、連絡は来ませんでした。

東京都では、借上住宅を新たに借りる場合は、「エアコン、コンロ、照明器具、給湯器、カーテンが設置されていること」という条件がついていました。岩田さんは都内の不動産屋を何軒もまわり、条件に合う部屋を苦労して見つけました。

ようやく、二〇一一年夏に岩田さんは引っ越しをしました。原発事故から約四カ月、姉の家、広島、姉の家、古いアパート、五カ所目です。四畳と六畳の二間がふすまで仕切られた、そこも古いアパートでした。収納は押し入れと天袋だけ、洗面所もなく、食器棚もありません。カラーボックスとプラスチックケースに服や食器を収納するしかなく、布団を敷いたら生活スペースはほとんどなくなってしまいました。

放射線量を計測する

息子は、「きれいなおうちに住みたい」「福島のおうちに行きたい」と言うようになり、岩田さんも本当は帰りたいと考えていました。「放射線量が下がっていたら帰ろう」と思い、郡山市に一時帰省をした際に、放射線測定器を借りて郡山市の自宅をくまなく測定しました。当時は、市役所やビデオレンタルショップなどが、放射線測定器の貸し出しを始めていました。測ると、家の中でも毎時〇・二～〇・七マイクロシーベルト(原発事故前の六～二三倍)あり、放射性物質のたまりやすい家の外の雨どいの下では、毎時四マイクロシーベルト(事故前の一三三倍)もあったのです。

原発事故から二～三年目くらいまでは、放射線量はなかなか下がりませんでした。事故で放出された主な放射性物質のうち、セシウム134の半減期(放射能が半分になること)が約二年。セシウム137の半減期が約三〇年です。そのため、セシウム134の半減期が過ぎる二～三年目までは、除染をしない限り、放射線量はほとんど変わらなかったのです。

岩田さんの家は、なぜか東側だけが放射線量が高く、窓際に水を入れたペットボトルを遮蔽のためにたくさん並べてみました。ホームセンターで石膏ボードも買い、家の中の壁や窓に貼り付けてもみました。当然、家の中は真っ暗になってしまいました。なんとか家の中の放射線量を下げようと、レントゲン室用のカーテンのカタログまで取り寄せてみましたが、カーテンレールに耐えられる重さではありませんでした。

庭の土も剝《は》ぎ取り、入れ替えてみましたが、それでも自宅のリビングは毎時〇・三マイクロシーベルト（事故前の一〇倍）にしかなりません。屋根も壁も、家中を雑巾で拭いても、下がりません。二階のほうが放射線量は高いので、一時帰宅の時には、一階に布団を運んで寝るようにしていました。息子は、外で遊びたい盛り。できることはすべてやってみたものの、問題は解決しません。やはり、避難を継続するしかないと岩田さんは考えました。

母子避難のリスク

原発事故から半年～一年ほど経った頃から「原発離婚」「放射能離婚」という言葉がメディアにも登場しました。原発事故によって、家族のかたちが変えられ、離婚に至ってしまうケースも少なくありませんでした。

岩田さんの夫は、月に一度、週末に東京のアパートに会いにきてくれていました。岩田さんは自分がどんなに疲れていても、夫が来る時には手料理をふるまい、帰る時にはおかずを持たせていました。毎日子どもを一人で育てている、いわゆるワンオペ状態で、本当なら、岩田さんも夫がいる時には家事や育児から解放され、気分転換をしたい気持ちもありましたが、それらをすべて押し殺していました。夫婦は本来、対等なはずなのに、どうしても「避難させてもらっている」という気持ちになってしまっていたと言います。

避難生活での嫌な出来事も、相談したら負担になると思い、我慢していました。子どもの幼稚園の長い休みには、できるだけ郡山市に帰り、夫の親戚の集まりにも顔を出していました。母子避難をしてからは、岩田さんの自分の時間は一切ありませんでした。

母子避難の苦労を周囲からはほとんど理解されず、帰りたくても放射能汚染が消えたわけではありません。夫や周囲の人たちの深い理解と、サポートがなければ、母親は追い詰められるばかりでした。「帰って来ないなら、もうお金は振り込まない」と言われたとある母親は、経済的にも精神的にも追い詰められ、生きる気力を保つことも難しくなったと話してくれました。

岩田さんも、例外ではありません。母子避難がきっかけとなり、離婚に至りました。夫の浮気が発覚したからです。一年が経つ頃から、避難先の岩田さんと息子に、夫が週末に会いに来る回数が減っていきました。お正月に郡山に帰っても、「大晦日《おおみそか》から三日間、温泉に友だちと行く」と言って出かけてしまいました。また、昼夜を問わず、突然、「友だちと飲みに行く」と言って、家を空けていました。

その後、岩田さんと息子が避難をして不在の家に、女性を呼びこみ、一緒に住んでいたことがわかります。「もうダメだ」と岩田さんは離婚を決意したのです。

シングルマザーとして働く

今、岩田さんはシングルマザーとして、都内で働いています。ようやく見つけた借上住宅も区域外避難者は、二〇一七年三月、原発事故から六年後に、唯一の国による経済支援だった借上住宅を追い出されてしまいました。その頃、岩田さんが「家賃を払って都内に住むのであれば、正社員にならないと無理だ」と悩んでいたのを、私は覚えています。

仕事のことを尋ねると、「結局、ずっと派遣社員なの。今、三社目かな。派遣社員は、三年で他の会社に行かなくてはならなくて。働いている部署の人がどんなに「岩田さんはずっとここで働いていて」「正社員にしてもらって」と言ってくれても、人事部の人が「派遣は三年のルールですから」って、結局、新しい会社に派遣されるの」と、教えてくれました。

二〇一五年の改正派遣法により、派遣先企業が派遣社員を受け入れることができる期間を三年間とする、いわゆる「三年ルール」というのがあります。これは、本来は不安定な派遣社員の雇用形態を、「三年経ったら正社員に」という改善のために改正されたはずなのですが、実際の現場では、そうなっていないようなのです。

ただでさえ、シングルマザーの平均年収は、二七二万円と厳しいものです(厚生労働省『全国ひとり親世帯等調査』(令和三(二〇二一)年度)。原発事故の避難によって、住む場所だけではなく、人生も変えられ、暮らしも厳しい中で、岩田さんは一二年、必死に働き、生きてきました。それでも、「息子が、育ててくれて、ありがとうなんて言うようになって」と、嬉しそうに話してくれたのが、印象的でした。

原発事故当初、大きな津波、強制的に避難をさせられた人々のことは報道などで知られましたが、一方で避難指示区域外からの避難や母子避難は、社会的にほとんど知られていませんでした。社会に認識されていないということは、存在を認められていないということと同じです。当然、支援の手も届きません。少しずつ、避難指示がない地域からも避難をしている人がいるのだ、ということが知られていきましたが、それでも、行政による支援制度は全く足りていません。

時間の経過とともに、避難をしたひとりひとりの状況はさらに変化しています。だからこそ、支援が必要な人には支援が届き、話をしたい人は話ができる、相談したい人は相談ができるという安心な場が必要なのだと思います。いまなお、理解されにくい孤独をかかえ、区域外避難を続けている人がいることを、忘れないでほしいのです。

3章
原発から 40 km の相馬市で
——避難をせず、裁判を闘う

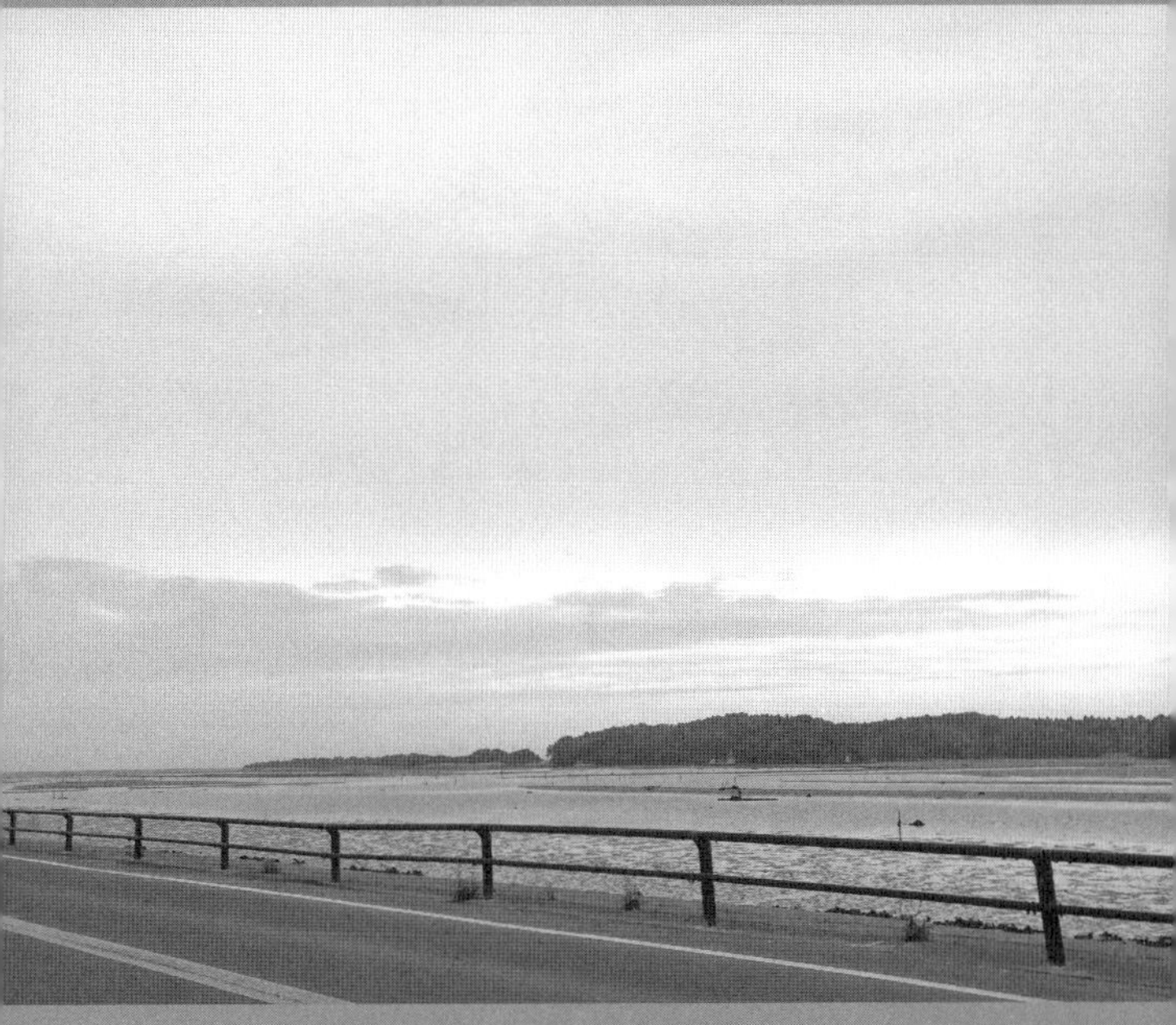

松川浦(相馬市)

東京の裁判所や集会などで会う時の中島孝さんは、いつも「生業《なりわい》を返せ！　地域を返せ！　福島原発訴訟」と書かれた襷《たすき》をかけていました。でも、地元の相馬市で会う中島さんは、いつも赤いエプロン姿です。

私が取材で出会う人は、その多くが「原発事故の被害を受けた方」です。当たり前ですが、「原発事故」だけがその人を形作っているわけではありません。むしろ、「原発事故」以外のほうが、本当は大切なのだと、私は少し時間が経ってから、思うようになりました。取材を越えて、親しくなればなるほど、「原発事故さえなかったら、この人の大切な人生は壊されることなく、続いていた」と、思うようになったからです。中島さんの「生業訴訟」の襷と赤いエプロンは、私にはそのことを思い出させる、象徴的なものでもあります。本当は、赤いエプロン姿こそ、中島さんの姿なのだと思うのです。

相馬市の中島さん

二〇一一年三月一一日、中島さんは、自身が店長を務める相馬市の「ナカジマストア」にいました。相馬市は、原発から約四〇㎞北にある市です。景観の美しさから日本百景に選ばれた松川浦(章扉)や、国の重要無形民俗文化財に指定されている相馬野馬追でも有名です。ナカジマストアは住宅地の一角にあるスーパーです。生鮮食品だけではなく、手作りのお惣菜も並ぶ、長年地域の人たちに愛されてきたお店です。

地域のかなめになったナカジマストア

揺れが始まると、店の中の商品は棚から次々と音をたてて落ちました。揺れはおさまるどころか、どんどん強くなっていきました。中島さんは「この揺れでは、必ず断水になる」と考え、揺れがおさまると、すぐに「水を汲んでおけ!」と、従業員に指示を出しました。テレビをつけると、沿岸部の津波の映像が流れていました。ナカジマストアは、海からはわずか一㎞ほどの距離でしたが、幸い少し高台にあり、被害には遭いませんでした。しかし、相馬市内では、この津波で四五八人の方が亡くなっています。その後、「食料を確保しなければ」と思った人々がナカジマストアに溢《あふ》れ、夕方には店の棚はほとんど空になってしまいました。一方、店の前の道路は、津波から逃げてきた沿岸部の人たちの車で、両車線ともふさがった状態でした。

日が暮れると、福島県の沿岸部を南北に走る国道六号よりも海岸側は、津波と停電とで、漆黒の闇。そんな中で「ナカジマストアに灯りがついていたのは、希望だった」とのちに店を訪れた人が中島さんに話したそうです。

翌朝、中島さんの予想通り、水道は止まってしまいます。でも、山の近くに住む妹の家では、まだ水道が出ていたため、中島さんは農業用のポリタンクを消毒し、水をもらいに行きました。

しかし、それでは足りないとわかり、中島さんは市場に行き、二tトラックを借りると、いけすを消毒して、相馬市役所に「水の給水を手伝う」と申し出ました。市には給水車は一台しかなく、手が回らない状態だったそうです。市が管理する消火栓からいけすに二tの水を汲んで店に戻ると、近所の人が二〇〇人ほど、水を求めて集まっていました。

地震から数日間は、水だけではなく、食料も不足していました。大手のスーパーやコンビニ、ガソリンスタンドはほとんど閉店していたのです。でも、ナカジマストアは、地域密着型のスーパー。閉めるわけにはいきませんでした。この頃は、原発事故や放射能汚染よりも、

「地域の人が飢えた状態をどう解決したらいいか」ということのほうが優先だったのです。

状況が少し落ち着いたのは、地震から一週間経った頃のことでした。すでに、原発は次々と爆発していきました。相馬市には避難指示は出ていませんでしたが、店の従業員も三人ほど自主避難をしていきました。近隣の住宅街の夜の明かりがつかなくなり、三割ほどの住民しか残っていない様子でした。中島さんは息子に「お前と、嫁さんだけでも避難をさせたい」と話しました。すると息子は「ここにいても、避難をしても、すでに被ばくしているだろうから一緒じゃないか」と言ったといいます。

中島さんは、その時のことを、こんなふうに振り返っていました。

「あの時、避難しなかった息子たちが将来、がんになったら、もし孫が産まれて、その孫に何かあったら……ということを考えます。でも、覚悟して、背負って生きるしかない。苦難の中で生き続けるのも、抵抗の仕方としては意味があると、自分の中で何とか整理したんです」。

原発事故の賠償

四月になり、国の原子力損害賠償紛争審査会が、賠償の基準である「中間指針」の策定を始めました。原子力損害賠償紛争審査会とは、原発事故などが起きた場合に法律に基づき文部科学省に設けられ、原子力損害の範囲・判定に関わる「指針」を策定する機関です。

六月になると、東北の漁師たちに対しての、原発事故の賠償の話を中島さんは聞くようになります。津波で港湾に影響が出たこともありましたが、それよりも、原発事故による高濃度の汚染水が海に流れ出たことが原因でした。放射性セシウムなどが魚介類から検出され、多くの魚介類が出荷停止や自主規制の対象となり、漁業者はすっかり生業を奪われていました。

中島さんは当時、「小買受人組合」の組合長を務めていました。「買受人」とは、卸売市場で生鮮食料品等を購入できる業者・個人のことです。中島さんはスーパーを営んでいるので、卸売市場でスーパーに並べる商品を「買受人」として購入しています。

「漁師だけではなく、われわれ魚の仲買や業者(買受人)にも賠償するべきだ」「「中間指針」の策定の前に、われわれにも被害があったと知ってもらわないと」と中島さんは考え、八月、仲買業者の仲間一二人で二台のレンタカーを借り、東京まで抗議に行ったそうです。福島県選出の国会議員に掛け合い、東電、経済産業省、文科省と交渉したと言います。

ようやく、原子力損害賠償紛争審査会が八月五日に、「中間指針」を策定しました。その後、一〇月初旬、東電から電話があり、「賠償の書類ができたので、お持ちします」と連絡がありました。東京電力(以下、東電)の社員は、段ボール箱三つに書類を二〇〇部ほど入れて、持ってきました。それを、二三業者の仲買の仲間と、小買受人組合の組合員に配ることになりました。

仲買の仲間たちはみな社長で、事業規模が大きく、経理のことは即座にはわかりませんでした。社長たちは、「税理士に頼むしかないな」と言って、帰っていきました。一方、小買受人組合の仲間は事業規模は小さく、税理士を雇っている人はほとんどいないため、「こら大変だな」と中島さんは思いました。

その時、力になってくれたのが、父のつてで知り合った、相双民主商工会の事務局長、松本寿行さんでした。松本さんは楢葉町《ならはまち》に住んでいましたが、家族を避難させたあと、松本さん一人で商工会事務局長として相馬市の事務所に戻ってきていたのです。自宅の楢葉町には避難指示が出ていて、家に戻るわけにもいかず、中島さんの自宅で避難生活を続けていました。

中島さんが思ったとおり、「コウケンリエキリツ(貢献利益率)? なんだこれは?」と、みんなが書類の書き方を全く理解できませんでした。小買受人の仲間や、その知り合いなどが、ナカジマストアの二階で松本さんから「書類の書き方」のレクチャーを受け、四苦八苦しながら作成したそうです。

大晦日《おおみそか》の日に、小買受人の二人の仲間から「賠償が入った」「他のみんなも出るんじゃないか」と連絡がありました。中島さんはホッとしましたが、年が明けても東電からは何の連絡もありませんでした。二〇一二年四月になっても他の小買受人には賠償は入らず、「俺らを殺す気か」という声すら出始めていました。原発事故の被害によって商品が売れず、さらに避難をしていった人の分の売上もなくなり、小買受人にとっても、賠償の有無は死活問題でした。事故直後の三月末には、原発から六〇㎞離れた須賀川市の農家の人が自殺し、六月には相馬市で「原発さえなければ」などと書き置きを残して首をつった酪農家もいたのです。中島さんが何度問い合わせても、東電は「費目の除外対象の議論を行なっているのでお待ちください」と引き延ばしたまま、「すぐに賠償します」とは言いませんでした。

五月になり、近くで弁護士が賠償相談会を開いていると聞きつけ、中島さんはそこに出向きます。その時に出会ったのが、のちの「生業訴訟」の弁護団の弁護士たちでした。弁護士が介入したことで、賠償の話が進み、原発事故から一年半も経った二〇一二年九月からようやく、小買受人にも賠償が出るようになりました。しかし、その賠償もなぜか長くは続きませんでした。再び、「なぜ賠償が出ないのか」と、問い合わせをする日々。被害を受け続けているにもかかわらず、東電は賠償を短期間しか支払うつもりがないかのようでした。そんな時、「『原子力損害の賠償に関する法律』に基づいて救済する仕組みがおかしい。民法に基づく裁判をして、責任追及をして勝たないと。司法の場で争いましょう」と、弁護士に打診されたと言います。

中島さんは「団長になってください」とも打診されました。しかし、団長となると、ナカジマストアを空けることにもなり、「大丈夫だろうか」と悩んだそうです。その時に背中を押してくれたのは、妻だったと言います。「やるしかねーべね。だいたい、「やらない」で済むの？」と。

裁判が始まる

こうして、事故から二年後の二〇一三年三月、全国最大の原告数を持つ生業訴訟が福島地裁で始まりました。国や東電に対し、原状回復や損害賠償を求める裁判です。裁判の原告を集めるために、四〇〇回以上、福島県内各地で説明会を行い、原告は第一陣、第二陣（二〇一六年一二月提訴)を合わせ、四二〇〇人(二〇二三年九月現在)。第一陣だけでも約三八〇〇人が原告となっていました。

よく、裁判の報道では、賠償額が話題になります。もちろん、被害に見合う賠償の実施、原告の暮らしを支える救済措置も大切ですが、この裁判はそれだけを求めたものではありませんでした。国の明確な法的責任を問うことによって、国の原子力政策そのものの見直しを求めたいという原告の大きな思いがあるのです。

そして、類似の裁判は全国で三〇ほど提起され、原告数は全国で約一万人にのぼりました。福島県内だけではなく、原発事故によって四七都道府県にバラバラに避難をした人たちも、その避難先で裁判を起こしたのです。多くの人たちが、それぞれの場所で苦しんでいました。

生業訴訟では、損害賠償だけでなく、原状回復も掲げました。原状回復とは、「もともとの状態、初めの状態に戻すこと」を言います。中島さんは、これについて、「二〇一一年三月一一日の前に戻りたいんじゃないんです。私たちの暮らしに、「原発がない」という、原発のなかった頃の状態に戻してほしいんです」と話してくれました。

生業訴訟は、原発事故後も住んでいた地域に住み続けた被害者と、避難をした被害者とが、ひとつの原告団を構成しています。裁判が進む中で、原告の被害実態を把握するために、浜通りや中通りを裁判官が直接訪れる現地検証も行いました。二〇一六年一二月から集め始めた、訴訟の原告団を応援する署名は、二三万筆にものぼり、裁判所に提出されました。

「貧しい地域には、原発とお金がやってくる。住民の命や健康よりも、企業の利益が優先される。その構造を変えない限り、根っこは解決しない」と中島さん。そして、「他の誰にも、自分たちと同じ思いをさせたくない」とも話してくれていました。そのためにも、東電だけではなく、国の責任を認めさせたい、と願っていたのです。

避けられた事故

裁判では、原発事故の九年前、二〇〇二年には、すでに国の地震本部がまとめた「長期評価」をもとに、巨大津波による事故は予見でき(予見可能性)、国の規制権限を行使すれば事故は回避できた(結果回避可能性)ということを、原告側は主張し、国と東電の責任を追及しました。

生業訴訟をはじめ、一連の裁判の取材をしていた私は、「あの原発事故は、実は、避けられた事故だったんだよ」と、知り合いの福島県の友人や、地元の避難者の友人に話しました。すると、みな驚いていました。なぜなら国と東電は、原発事故前は、「絶対に事故は起きません」と原発安全神話を語り、原発事故後には、「想定外の自然災害のせい」と言い続けてきたからです。多くの人がその言説を信じ、「本当は避けられた事故だった」と想像すらしなかったのだと思います。

しかし、実際には、巨大津波が福島第一原子力発電所を襲う可能性があることは地震本部の専門家らがまとめた「長期評価」(二〇〇二年)によって予見されていました。予見されながら国は東電に事故対策を促すことはなく、東電も事故を回避する対策を怠っていました。裁判では、東電側の津波対策におけるウソや隠ぺいも明らかになりました。いかに「津波対策をやらずに済ませるか」という姿勢が東電側の言動から透けて見えるものです。

二〇一七年一〇月一〇日、生業訴訟の福島地裁での一審判決は、群馬県に避難した人たちが起こした群馬訴訟の前橋地裁の判決に続き、国と東電、双方の責任を認める二例目のものでした。しかし、原状回復は却下とし、賠償対象者、賠償水準のいずれも、被害救済として十分なものとはいえない内容にとどまりました。

この日に出た一審判決を不服として、中島さんたち原告は、仙台高裁に控訴しました。そして、原告、弁護団、支援者らは、一審判決を踏まえた交渉や要請を続けていました。各政党、東電、経産省、福島県などを回り、国と東電の責任を認めたことを訴え、被害者のさまざまな要求を制度化してほしいと、高裁での裁判と同時進行で、伝え続けていたのです。

全国各地で行われている裁判の一審判決・二審判決が次々と出る中、控訴から約三年後の二〇二〇年九月、生業訴訟の仙台高裁での二審判決も出されました。この判決でも、国と東

生業地裁判決の日(地裁前で)

電の責任が認められました。

全国各地の裁判では、東電の責任はすべての裁判所が認め、国の責任も約半分の裁判所が認めていますが、高裁判決で国の責任を認めたのは、この時、生業訴訟が初めてでした。他の高裁判決では、東電の責任は認めても、国の責任はなかなか認める判決が出なかったのです。

特に画期的だったのは、国の責任について、「不誠実ともいえる東電の報告を唯々諾々と受け入れることとなったものであり、規制当局に期待される役割を果たさなかった」と厳しく断罪したことです。

この言葉は、生業訴訟の原告だけでなく、全国で裁

判を闘う原告たちも勇気づけるものでした。この高裁判決を受けて、生業訴訟の原告と弁護団は、首相官邸や東電本社を訪れ、「上告せずに早期救済に向けて舵《かじ》を切ってほしい」と求めます。しかし、一〇月一三日、国と東電は仙台高裁判決を不服として最高裁に上告。それを受けて原告も同日上告したのです。二〇一三年の訴訟提起から約七年、闘いは、最高裁の場に移ったのです。

この頃、中島さんは、相馬市での暮らしを、こんなふうに話してくれたことがあります。中島さんの家は元々、農家で、中島さんの父親がその後、魚の行商を二五年ほど営み、今のナカジマストアをつくりました。今は、田んぼの耕作は人に頼み、畑だけ家族でやっているのだと言います。中島さんの父親が農家の時代も、国による減反《げんたん》政策で米の値は下がる一方となり、「百姓が虐《いじ》められていた」と中島さんは言うのです。

「各地を飛び回る中でも、相馬市にいる時には、店にも出るし、父親と畑を耕すこともあります。単純作業が朝から夕方まで延々と続き、ボロを着て、日差しに焼かれ、雑草を抜きながら、ふと、平穏であることの幸せに気がつくこともあります。人間の幸せは、こういうところにあるのではないか、と思うこともあります」。

「権力による加害の構造」は、減反政策も原発事故も同じ。政府の意のままに税金が使われ、百姓もつらい目に遭いながら暮らしてきたと中島さんは考え続けていました。土に触れる暮らしに「幸せだ」と気づく一方で、中島さんは、続けてこう話しました。

「そういう農作業でも、原発事故後は被ばくをしてしまうし、その作業を経てつくられたものも、子や孫に食べさせることを躊躇《ためら》う人、食べさせられない人もたくさんいます。こうやって延々と営まれてきた農業が、原発が起こしたひとつの事故で、根底から覆されてしまった」。

裁判の中では、国側の代理人の言葉にも驚かされたと言います。原告である中島さんたちのことを「単なる不安を抱えた人たち」とくくり、「健康影響が低いという科学的知見」を無視していると言ったのだそうです。さらに、原発というのは「相対的安全性」を確保すれば良く、社会が許容すべきリスクは相対的な便益(経済的利益)のために我慢すべきだとも言ったそうです。「これほど被害を受けた人々が苦しんでいるのに、そんなことを言ってくるのか」と憤りを感じたと話しています。

また、中島さんの住む相馬市のように、避難指示がなかった地域には、わずかな賠償しかありませんでした。それに対しても、「被害のない地域なのに賠償を支払ってやった」「むしろ払いすぎている」という態度をとり、さらには、原告の人数が、福島県民の〇・八%にすぎないから、多くの人が、東電の賠償に納得しているという言い方もしたのです。それらの発言は、つまり、原告となった人たちが「他の人と比べて、特別ワガママだ」という意味を内包しています。

むしろ中島さんは、「『裁判をしよう』と思ったのがたとえ福島県民の〇・八%だったとしても、もし私たちが裁判に勝てば、原告ではない人たちも改めて訴訟をしようと考えるかもしれません。そうなれば、司法制度を破壊しかねないと思っているのだろう」と考えていました。あるいは、国側の代理人は現地の人たちの思いを、知らないのかもしれないとも思います。私には、原告が〇・八%なのは、やむを得ないことにも思えるのです。

そもそも、原告になると名乗り出ることも、難しいことです。「裁判」にはエネルギーが必要です。まず、日々の暮らしで精一杯であれば、裁判に参加しようとは思えません。裁判に参加できる環境があったとしても、目の前にいる人が、原発事故に対してどう考えているかがわからない中で、思いを語ることはとても難しいのです。原告になったことを周りに知られるくらいなら、やらないほうがいいという判断をする人もいるでしょう。

よほど親しくない限り、原発事故のことは話題にはならない。原発事故当初から、そんな話はありました。親しくても、その話題を避けることもあります。あるいは、「国に逆らうようなことはしたくない」という人もいます。「語れなさ」を感じ続けているという話は、たくさんの福島県内の人からも、県外の避難した人からも、私も聞いてきました。

「私は今でも平気で(原発事故のことを)話せるけれど、多くの人が、自由な発言を自主規制してしまっているようにも思うんです。それは、二〇一五年頃から現れた兆候かな、と体感として思います」と中島さんは言います。

この頃、安倍内閣は閣議決定を頻発し、避難指示を解除し、オリンピックに向けてか、「復興加速化」と盛んに言い募っていました。それは、当時の資料を見てもすぐにわかります。避難指示が出ていた地域を、放射線量が年間二〇ミリシーベルト以下になったとして、解除していく「帰還政策」もこの頃、強引に押し進められていました。「この頃こそが、「原発事故の被害はない」という姿勢が露骨になっていった時期だ」と、中島さんは考えています。そして、「そのことは、忘れてはいけないと思います」と真剣な面持ちで中島さんは言いました。

「国の責任を認めない」

二〇二二年三月、東電の責任をめぐっては最高裁第二小法廷が東電の上告を退け、原告約三六二〇人に対して、国の指針を上回る合計約一四億三六〇〇万円の支払いを命じました。残された争点は国の責任のみとなったのです。

そして、六月一七日、とうとう、最高裁判所の判決が下されます。この日の早朝、福島県から、各地から、原告が何台ものバスに分乗し、最高裁前に集まっていました。中島さんは「俺らは無力な存在だった」で終わらないように、公正な判決を求めていきたい」と語っていたのです。多くの人が最高裁前で判決を待ち続けていました。

しかし、第二小法廷の菅野博之裁判長は、ほぼ同じ時期に高裁判決を得た、生業訴訟、群馬訴訟、千葉訴訟、愛媛訴訟の四訴訟について、「国の責任を認めない」との判決を言い渡し、国家賠償責任を退けたのです。

多くの人が呆然とし、そして怒り、悲しみました。法廷でそれを聞いていた、群馬訴訟の原告団長、丹治杉江さんは、「裁判長の最初の言葉を聞いて、負けた、と思った時に、そのあとの言葉は耳に入ってこなかった」と語っています。

中島さんは、報告集会で「美味い酒が飲みたかった」と力無く笑いました。それでも、「休んで、うさも晴らしましょう。再び原発事故が起きて、そうなって、やっとみんなが団結したなんていうことは、事前にとめたい。また、頑張っていきましょう」と、会場にいた原告たちを励ますように話していました。生業訴訟で弁護団幹事長を務める南雲芳夫弁護士は、「最大の争点だった「国の規制のあり方はどうなっていたのか」ということに対し、最高裁が頬被《ほおかぶ》りして役割を放棄した」と強く批判しています。

「同じことが繰り返されてしまう」

中島さんは、これまで何度も、「同じことが繰り返されてしまう」という懸念を私に話してくれました。私だけではなく、さまざまな集会でも、中島さんはそのことを語ります。

「命や暮らしを軽んじて、人々の痛みを感じようとしない。私たちは、被害者になった以上、経験したことを形にして、国に、誠実に向き合うように訴えなくてはなりません。そうしなければ、同じことが繰り返されてしまいます」と。

判決後、こんなふうに話していた中島さんの言葉を、思い出します。

「裁判を始めた頃は、終わったらゆっくりしようと期待していました。でも、生優しくはなかった。俺らは、無力な存在で終わるのか、原子力政策に少しでも傷をつけ、それを残せるのか、闘い続けなくてはいけない」と。

小買受人組合の人たちに賠償の書類の書き方を教えてくれた松本さんは、今も中島さんの家で避難生活を続けているそうです。楢葉町は避難指示が二〇一五年九月に解除されましたが、家族は楢葉町に戻ることを選択しませんでした。

中島さんは「無力な存在で終わらない」という言葉を、何度も使っていました。原発事故の責任を国や東電に問うことがどんなに困難だとしても、虚しさを感じてはいけない、と自分や周りの人たちを鼓舞《こぶ》するためだったのだと思います。最高裁判決が出たあとも、全国で国と東電の原発事故の責任を追及する裁判を闘う仲間たちと共に、国の責任を認めさせるよう、中島さんも闘い続けていました。

国策だった原発事故であるにもかかわらず、国の法的責任が認められない。そこに対する理不尽さが消えることは決してないでしょう。原発事故は、今も、終わっていないことを、改めて感じるのです。

4 章

避難指示が出なかった地域で
――地元を測り続ける

郡山市役所の展望台から

原発や福島に関わる中で、私が最も気にしていたのは、本来、被害があった地域なのに「被害はなかった」とされてしまうことでした。人々の記憶や地域の歴史に何ひとつ遺されることなく事実が消えていってしまう、もしくは消されてしまう。そうさせたくない、とずっと思ってきました。

そのひとつが、原発事故によって放射線量の上昇した地域が、避難指示区域を超えて、関東圏をも超え各地にあったという事実です。例えば、二〇一一年、静岡県のお茶が、当時の暫定《ざんてい》規制値（一kgあたり五〇〇ベクレル）を超えて、出荷停止になったことは、多くの人に衝撃を与えました。つまり、静岡県まで放射性物質は飛んだという証拠です。そんなことは、一二年が経った今、すっかり忘れ去られています。

当時「暫定」だった規制値は現在、「一kgあたり一〇〇ベクレル」になっています。それがどういう意味を持つのかというと、例えば、原発事故前には、一日三食のトータルの日常食に含まれる放射性セシウムは、最大でも一kgあたり〇・二ベクレル程度でした（公益財団法人日本分析センターウェブサイト「日本の環境放射能と放射線」より）。事故前のデータと比較すれば、今では想像がつきにくいほど、当時は、広域に汚染されてしまったことがわかるかと思います。

そのため、原発事故後、日本産の食品の輸入停止や、輸入規制の措置をとった国が五五カ国ありました。現在も継続して七カ国が検査証明書の要求や、輸入停止などの規制を行っています(二〇二三年一〇月現在)。その対象となる地域は、それぞれの国が指定していますが、規制は一〇都県、八都県等、指定された都県など、広範に及びました。

しかし、各地の農業従事者などの地道な努力と、自然減衰(放射能が弱まること)によって、今では、基準値を超える品目は減る傾向にはありますが、それでも、今なお一部の食品(野生のきのこ、山菜、鳥獣類、はちみつ、一部の海産物、川魚等)は基準値を超えてしまうこともあり、継続的な測定は必要だと私は考えます。この放射能測定は、農産物や魚介類等に対して国や自治体も行うのと並行して、全国各地で多くの市民が、市民測定室を立ち上げ、積極的に測定を行うようになりました。

体に入る食品の測定を重要視する人も多いですが、それと同じくらい土の測定(土に含まれている放射能濃度)も重要です。なぜなら、原発事故の放射能汚染の様相が、正確にわかるからです。市民測定室のネットワーク「みんなのデータサイト」は、二〇一四年から一七年まで三年をかけ、四〇〇〇人の協力を経て、約三四〇〇地点の土を採取し、土の放射能濃度を測り、マップをつくりました。その記録は、あらゆるデータを網羅し、一冊の本(『図説放射能測定マップ＋読み解き集』みんなのデータサイト編)にまとめられています。この本を見ると、「避難指示が出ていない地域にも、放射能汚染は広がった」「今なお、放射能汚染が事故前に戻ったわけではない」ということが、手に取るようにわかります。そして、今もなお、さまざまな地域で地道に測定データを集め続けている人が多くいるということを忘れてはいけません。

孤独な母親たち

いわき市は、福島県浜通りの南に位置する県内で一番面積の広い市です。現在の人口は三二万人(原発事故当時は三四万人)の中核都市です。同市のホームページを見ると外部リンクが貼られているのに気がつきます。それは市民団体「TEAMママベク　子どもの環境守り隊」が定期的に測定をした放射線量・土の放射能濃度の記録です(二〇二三年一〇月現在)。原発事故から一二年が経ってもなお、市民との連携が取れている自治体なのだと思います。その裏には地道に測定を続けている人がいます。その一人が千葉由美さんです。原発事故当時、一番下のお子さんが小学生でした。

お子さんの一人は、アトピー性皮膚炎を持っていました。化学療法にはなるべく頼りたくないという思いがあり、医食同源《いしょくどうげん》を暮らしに取り入れ、なるべく無農薬の食事を続けていました。また強い薬を使わず、自然療法を心がけるうちに、環境問題にも関心を持つようになったそうです。

千葉さんの夫は転勤族だったため、子育ての最中には孤独を抱えることが多かったと言います。そうした状況から抜け出すために、引っ越し先ではコミュニティづくりを大切にしたと言います。友人、知人をつくり、そうした仲間とお茶を飲んだりご飯を食べたりしながら、気持ちを吐露する、そうして安心な時間や場所をつくる。それが、子育てにも良い影響を与える——と千葉さんは感じていました。

震災の時も同じでした。まずは、孤独になっているお母さんたちとつながるために、「お茶会」を開いたそうです。原発事故が起きたことで、特に子育て中の親は、「子どもに影響はないだろうか」と多くの人が不安を抱えていました。

例えば、三月一三日には、いわき市の北部、原発から三〇㎞圏内にあたる久之浜・大久地区に市が独自に避難指示を出しました。一方、三月一五日には、いわき市は、避難指示のあった地域(二〇㎞圏内)から一万五六九二人を受け入れていますが、一方で、いわき市から避難をしていった、いわゆる自主避難者は一万五三七七人いました。「避難したほうがいいのか」「放射能は危ないのか」「このあたりはどのくらい放射性物質が降り注いでしまったのか」といったことを、誰かと話したくても、なかなか話せる場はありませんでした。

「避難」をめぐっては、避難をした人からも、しなかった人からも、苦しい思いを何度も聞かせてもらいました。特に、避難をしなかった人にとっては、「なぜ避難しないの?」と問われることは、「なぜ子どもを守らないの?」と聞かれることと同義のように感じる人もいました。でも、避難をするのは簡単ではありません。千葉さんも学校に通う子どもを抱え悩んでいました。

「経済的な理由ももちろんですが、私の場合は、転勤族なので、これ以上、子どもに転校させたくないという思いがありました。数年前に転校したばかりで、その痛手がまだ癒《い》やされていない矢先に、原発事故が起きたんです」。

子どものために避難するといっても、子ども自身の負担は非常に大きいものになります。それがわかっているだけに、とても難しい選択を多くの家庭は迫られたのです。

四月になり、いわき市は「がんばっぺ！　いわき」を掲げ、農作物の「風評被害を払拭する」と謳《うた》ったキャンペーンを開始しました。そして同じ頃、始業式をやります、という連絡が千葉さんの元に入ってきます。思わず千葉さんは「先生、何を言っているんですか、（学校再開に反対する）ストライキをしてください」とお願いしたと言います。大震災と原発事故からわずか半月しか経っておらず、三月三一日までに震度四以上の余震は一一三回も繰返していた上、学校や通学路などの放射線量の測定も行われていませんでした。そのとき、思いもよらない言葉が先生から返ってきたのです。

「千葉さん、私もストライキしたいのは山々なんです。毎日、職員会議で議論になっています。でも教師は、子どもが一人でもいたら、学校に行かないわけにはいかないんです。千葉さんが心配していることは、ごもっともです」。

そして、保護者が声をあげない限り、教師は何もできないというのです。千葉さんは、それを聞き、「学校再開に反対している保護者を教えてほしい」と訴えますが、個人情報のため、それはできないと言われてしまいます。

そこで千葉さんは、数人の知り合いの保護者に電話をかけ、学校再開について聞いてみます。しかし、みんなが何の抵抗もなく「学校に行かせるよ」と言うのです。この時のことを千葉さんは、「砂漠の真ん中に一人で立たされたような感覚だった」と思い返しています。放射能汚染をめぐり、リスクについては、家族ですら同じレベルで考えを共有することが難しく、ましてや他人であればなおさらでした。

新学期が始まり、一カ月ほどして、千葉さんも娘を学校に通わせることにしました。

学校再開をめぐって電話で話をした先生は、他の職員と協力し合い、外遊びをできるだけしなくて良いように、屋内遊びで子どもたちを楽しませる工夫をしてくれていたのです。多くの学校では、まだ除染《じょせん》も始まっておらず、放射線量の測定も開始されていませんでした（実際に校庭・園庭の除染がいわき市で行われたのは、八月からでした）。しかし、学校教師の間でも、放射能汚染に対する考え方はバラバラだったのです。

「お宅の放射線量を測定します」

二〇一一年五月、福島県内で子どもたちを守ろうという団体が立ち上がりました。その福島市での集会で、千葉さんは放射線量を測定できる機械を一台、借りることができました。事故直後は、放射線量計は非常に高価で、個人で購入するのも大変で、かつ、ほとんど手に入りませんでした。その後、安価なものも量産されて出回るようになるのですが、それはまだ先のことでした。せっかく借りたものをフル活用しなくてはもったいないと千葉さんは考え、測定活動を中心に置いたコミュニティづくりをしようと行動を起こします。

「お宅の放射線量を測定します」というチラシをつくり、お母さんたちが集う会を立ち上げました。そういった集まりが、のちの「TEAMママベク　子どもの環境守り隊」でした。当時、福島県内では原発事故をめぐるさまざまな講演会が開催されていました。いわき市も放射能についての勉強会・講演会が行われていました。千葉さんはそこでチラシを配ることを思いつきました。また、自分の子どもの小学校でもチラシを撒こうと考えました。

「でも、それはとても難しかったんです」。

前述した通り、学校の教師だけではなく、人々は放射能汚染をめぐって「心配ない」「危険だ」という意見で二分されていました。一方、「避難指示がなかった地域は安全」というものの見方が、講演会でもメディアでも喧伝されていました。特にいわき市は、福島県内でも早い段階で「安全です」と宣言した都市。放射能についてどう考えているかを見分ける方法はマスクをつけているかいないかだけでした。千葉さんはマスクをしている親を見つけるとチラシを差し出しましたが、「これ、(被ばく防護ではなく)風邪なんです」と受け取ってもらえませんでした。

千葉さんは、娘を学校に通わせるにあたり、なるべく外遊びや体育などの屋外活動をしないことを娘に約束させ、学校給食ではなくお弁当を持たせることにしました。原発事故直後の五月、全国の学校給食は、特に放射能濃度の測定もせず、原発事故前と変わらない通常通りの配食でした。測定が始まったのは、いわき市では事故翌年(二〇一二年)の一月からです。農林水産省の食育推進基本計画において、給食は「地産地消」が良いこととして考えられています。しかし食材の産地明記もなく、測定もされておらず、さらに、当時は「暫定規制値」として高い数値(一kgあたり五〇〇ベクレル)が設定されていたのです。「暫定」が取れて一kgあたり一〇〇ベクレルになったのは、翌年の四月からです。

「学校給食を食べさせて大丈夫なのか」と心配する声は、福島県内だけでなく全国各地で上がりました。流通が発達し、全国各地の食材で給食がつくられているからです。じっさい、原発事故直後の三月二一日には、福島県内の原乳には出荷制限がかかっていましたが、四月一六日にはほとんどの地域でそれが解除されていました。

「給食の牛乳は飲ませない」「お弁当を持たせる」といった判断をした保護者も少なくありませんでした。千葉さんも娘にお弁当を持たせていた一人でしたが、心の中には納得できない思いもありました。

「(自分の)子どもにお弁当を持たせることを、全然良いことだとは思っていませんでした。私は、自分の子どもだけを守りたいわけじゃない」と言います。むしろどうしたらすべての子どもたちを守れるのか考えていたと言います。そうした中で「被ばく防護の体制づくりをしないと、子どもたちみんなを守れないと思ったんです」と打ち明けてくれました。

安心できる居場所づくり

その後、千葉さんは地域でつながることができた母親たちと共に、「被ばく防護の体制づくり」のために測定活動を開始します。

同じ頃に別の場所で立ち上がった地元の団体、「いわき放射能市民測定室　たらちね」とも連携しながら、行政が使っている測定器や、より精度の高い測定器を借りながら、放射線量を測定し、同時に、土を持ち帰って放射能濃度も測定し続けました。

「原発事故について何か行政にものを言おうとすると、「母親の感情論」と言われてしまいます。そうではなく、正確なデータで行政と話をしたかったんです」。

文部科学省は、原発事故の翌年、二〇一二年度の間に、福島県内の学校、保育所、公園等に、二七〇〇台のリアルタイム線量計(モニタリングポスト)を設置しました。子どもたちの

いわき市との交渉(写真提供：千葉由美)

生活環境における放射線量を、リアルタイムで測り、現状を把握するためです。設置によって、多くの市民が、放射線量を知ることができるようになりました。このモニタリングポストは、今も福島県内の公共施設に存在しています。それは事故直後に誰もが知りたかった、けれども教えてもらうことができなかった数字でもあります。しかし、それだけでは、設置された場所だけの放射線量しかわかりません。生活環境に残されたホットスポット(局所的に放射線量の高い場所)を調べるために、千葉さん同様、多くの市民が足を使い、細かい測定を始めていました。

測定の活動と並行して千葉さんは、お茶会の活動も続けていました。身の上話、子どもの話など日常的な会話の中に、原発事故に対する思いを話す人も多くいました。特に「不安を抱えているのは、私だけだと思っていました」と話す人がたくさんいたと言います。

そんな中で、千葉さんは、気がついたことがあると言います。

「放射能についての不安を話すと「母親の感情論」と言われてしまうのは、その根底に

「女、子どもは黙っていろ」というのがあります。母親が市民活動をしていると「お前は余計なことをするな」という夫もいます。子どもを守る活動すらも「お前は頭が変になった」といった人もいます。夫に怒鳴ったりされて、妻、母親が萎縮する。そもそも社会に男尊女卑の考え方があり、それがぐらついている中で原発事故があったと思います」。

千葉さんは、女性もそうした社会の圧力に怯《ひる》まずに自分の言葉を生み出し、議論してほしいと考え、それこそが「ささやかなお茶会を続ける理由のひとつでもある」と話します。安心できる居場所で、誰かの話を聞き、自分もまた話してみようという思いにつながってほしいと千葉さんは願っています。普段、尊厳を奪われてしまっている人ほど、自らの権利に気づくことができず、より痛めつけられてしまう。この構図をただすために、ほっとできる場所で話すこと、その先に、おかしいことに対して「おかしい」と言えることが待っているのだと信じています。

その後、千葉さんは測定活動を続けつつ、行政との交渉も続けてきました。また、NPO法人「はっぴーあいらんど☆ネットワーク」という市民団体にも所属し、福島県が行う県民健康調査検討委員会へも傍聴《ぼうちょう》を続け、それを検証する動画配信も行っています。「情報公開請求の鬼」というシリーズの動画では、長野県に住む野池元基さんが地道に行政に情報開示

いわき市内を測定して歩く(写真提供：千葉由美)

請求をし続け、得た資料を丁寧に解説しています。特に、原発事故後、大手メディア、地元メディア、広告代理店が「風評払拭」「安全・安心」のキャンペーンを行ってきたことを積極的にとり上げています。

また、「はっぴーあいらんど☆ネットワーク」では、民間の医師と連携した「健康相談会と甲状腺エコー検査」、原発事故を演劇で伝える「演劇プロジェクト」、そして、心身の健康回復を目的として放射能汚染が少ない地域へ短期間、移動する「保養プロジェクト」、なども続けてきました。さらに、台風(二〇一九年の一九号)や水害(二〇二三年の浜通り豪雨)などで近隣に被害が出ると、千葉さんは、被災者に食料支援活動も積極的に行っていました。中でも、水害の影響については、千葉さんには、心配していることがありました。「山林の除染は行われていません。水害があれば、原発事故で降った放射性物質が山から流れ出て、居住エリアに流れ込んできてしまう。ここの水害は、原発事故の影響があることを忘れてはいけないんです。汚泥《おでい》が乾いた時に、舞い上がったら放射性物質を吸い込んでしまいます」。

水害支援ボランティア団体の会議の際には、「放射能汚染」は議題にはないことでしたが、「マスクをしてほしい」と、「空気を読まずに発言した」と言います。また、個人宅や教育施設の汚泥の測定活動も行い、行政にもそれを求めました。

まだ、終わっていない……

二〇一八年三月には、原子力規制委員会が、放射線量が低下しつつあることを理由に、原発近隣一二市町村を除いた地域のモニタリングポスト約二四〇〇台を撤去する方針を決定しました。福島県内各地で開かれた住民説明会では、どこでも反対意見が噴出しました。この時、千葉さんも、撤去反対に奔走した一人でした。一年以上、福島県内の仲間と会議を開き、各地の住民説明会に参加し、参議院議員会館で原子力規制庁に「撤去してはならない」というプレゼンをし、全国から署名を集め、「撤去しないでほしい」とメディアにも訴えたと言います。

「モニタリングポストがなくなったら、もしまた事故が起きた場合、あの時のように、どのくらい放射線量があるのか確かめられなくなってしまう。廃炉作業中の原発で、事故が絶対に起きないとは言えないですよね」と、千葉さんが周囲の人に話をすると、聴いた人は誰もが共感したと言います。

とある会場での説明会を、千葉さんの仲間がWEBで配信していました。私も見ていましたが、老若男女、どの意見も切実でした。誰もが千葉さんが語ったように「また事故が起きた時に、何を道標にしたらいいのか」と訴えていました。説明会は主に夜に行われていたのですが、中には、赤ちゃんをおんぶして参加している母親もいたのが印象的でした。

そして、最終的には、訴え続けてきた市民やそれを報じるメディアの力が「撤去反対」の声を後押しし、モニタリングポストの撤去は撤回され、今も設置は続いています。

こういったモニタリングポストは、「原発事故が視覚的にわかるもの」です。あるいは、原発事故後に除染で出た土は、黒いフレコンバッグに入れられて、住宅の敷地に埋められたり、空き地に山積みにされたりしていました。これもまた「原発事故が視覚的にわかるもの」でした。しかしフレコンバッグは現在、中間貯蔵施設《ちゅうかんちょぞうしせつ》の敷地内にすべて運び込まれたため、福島県内で見ることは、ほぼありません。そして、復興庁が定期的に集計し発表している全国に避難したままの人数も「原発事故が視覚的にわかるもの」です。

原発事故をもう終わったことにしたい人(あるいは行政)にとっては、こういった「原発事故が視覚的にわかるもの」は目障りなものなのだと思います。今、原発事故の不可視化が恐ろしいほどのスピードで進んでいます。けれど、まだ終わっていないし、終わったことにしてもいけないとも思います。この本を書くのも、そうした気持ちが後押ししています。

千葉さんは、「自分の子どもだけが守られればいいわけではない」と、事故直後に思った気持ちを、ずっと持ち続けていると思います。

千葉さんは、「原発事故に向き合っていると、側から見ると、つらくて苦しいことをやっているように見えるのかもしれません。でも、自分のたったひとつの〝命の使い方〟として、これが私の望む使い方なんです」と話してくれました。

郡山市の根本さん

同じような動きは、福島県郡山市でも起きていました。郡山市は、原発から約六〇㎞離れた中通りの都市です。人口は現在約三二万人。事故当時は約三四万人で、いわき市と同じくらいの規模です。東北新幹線も停まるので、関東圏とも行き来しやすい都市でもあります。

郡山市は、福島県内では四番目の広さの自治体です。駅周辺はとても賑やかですが、少し離れると静かで自然豊かな風景が広がります。

そんなのどかな環境で、学習塾を営む根本淑栄さんは、事故当時、中学生の子どもがいました。「子どもを守るために勉強しないと」と考え、まずは母親たちで集まろうと、同じ思いの母親たちと共に、呼びかけのチラシを撒きます。その集会は、平日のお昼に開催されましたが、およそ一〇〇人もの人が集まり、根本さんも驚いたと言います。その日は「食」「健康」「放射線量」などのグループに分かれ、初めて思いをぶつけ合うことができた時間でした。この集会が、後に郡山市で立ち上がる母親たちの団体につながります。

原発事故直後、郡山市や福島市など福島県の「中通り」と言われる地域は、放射線量が高く、避難指示が出る基準となった「年間二〇ミリシーベルト」を超える数値の放射線量が観測される場所がありました。郡山市でも、三月一五日にかけ、毎時八・六マイクロシーベルト(事故前の二二六倍)を観測しています。

事故直後の根本さんは、屋外に出ていた義母が「なんだか顔がピリピリして変なの」と話しているのを、心配しつつも「原発事故とは関係ないはず」と思っていたと言います。迫る危険はそれほど感じていなかったというのです。しかし、三月一五日の夜、出張を切り上げて帰宅した夫を車で那須塩原駅まで迎えに行った時、たくさんの車が乗り捨てられているのを見て、「おかしい」と思ったと言います。大地震・原発事故の影響により、東北新幹線は那須塩原までしか通じていませんでした。那須塩原駅に車を乗り捨て、新幹線でさらに関東方面へと避難していった人がたくさんいたのです。

「本当に、駅に車が無造作に停まっていて、一刻も早く遠くへ行かなくてはならないという緊迫した様子がそれだけで伝わってきたんです。だから、那須塩原よりも原発に近い郡山は大丈夫なのかな、とふと思いました。でも、その時は、「郡山市にも浜通りから避難してきているのだし」と考えを打ち消したんです」。

同じ頃、郡山市が原発事故による放射能汚染に危機感を抱いていたことが、事故から九年が経った二〇二〇年一二月に明らかになります。

「今明かされる極秘避難計画　子ども六千人、原発事故直後」(『朝日新聞』二〇二〇年一二月一一日付)というタイトルで、記事が出たのです。それによると郡山市の子ども六〇〇〇人を、比較的放射線量の低かった隣の湖南町の廃校に避難させる計画が練られていたと書かれていました。

当時は、むしろ「安心させる」という力のほうが強く働き、被ばく防護に必要な情報はほとんどありませんでした。例えば福島県内各地で放射線についての講演を続けていた福島県放射線アドバイザーの山下俊一氏(長崎大学)が「ニコニコしていれば放射能は来ない」と伝えて回っていた頃です。多くの人が、何も知らずに過ごしていたのです。

文科省が子どもの屋外活動を制限する指針を出したのは、四月一九日。郡山市では、放射線量が毎時三・八マイクロシーベルト(事故前の一〇〇倍)以上の学校においては、子どもの屋外活動を一日あたり一時間に、部活動は一日二時間以内、さらに未就学児のうち〇~二歳までは一日一五分、三~五歳までは三〇分という制限を設けていました(二〇一二年四月に解除)。

郡山市では、小学校が一校、中学校が三校、幼稚園が一園、公園が二園、文科省の定めた基準毎時三・八マイクロシーベルトを超えていました。しかし、どこの小学校も、大きく数値が変わっていたわけではありません。また、文科省の定めた測定法はサイコロの「五」の目のように五点を測定し、平均を出すもの。細かく測定すればその平均とは違う放射線量の場所があちこちにあったはずです。注意点として、放射線量の高くなりやすいくぼみ、建造物や樹木の近く、側溝・水溜り・草地・花壇・石塀の近くでは測定しないということも定められていたのです。

郡山市の母親の団体は、通学路の放射線量や食材の放射能濃度を測定したり、行政に要望を出したり、遠方から届いた野菜を分けあったり、座談会、保養相談会、勉強会、健康相談会など、さまざまな催しを開いていました。しかし、多くの人が集っていた会も、しだいに「ここから避難はできない」と判断した母親たちが「安全と信じたい」という人と、「心配だ」という人に分かれてしまったと言います。

「事故当初は同じ気持ちでした。でも、みんな、日常生活を送ることも大変です。「関わりきれないよ」と言われたこともあります。たまたま、ここに住んでいただけなのに、なぜこんなに大変な思いをしなくてはならないのか、という気持ちは、誰もがあったと思います」。

その後、根本さんは、二〇一一年の原発事故をきっかけに東京でできた、子ども全国ネットの福島支援ワーキングチームのメンバーと出会い、その人たちと共に「子どもたちの健康と未来を守るプロジェクトin郡山(通称こどけん)」を立ち上げ、活動を始めます。

二〇一一年、郡山市では、まだ原発事故から一年も経たないうちに、町内会やPTAなど住民が除染を始めました。本来は、放射性物質を扱う危険な作業です。しかし、当時はそういったリスクも周知されないまま、高圧洗浄機を使い、一〇〇円ショップのカッパや花粉症用のマスクで除染をさせる計画でした。

こどけんでは、住民に余計な被ばくをさせないでほしいという署名を集め、郡山市に要望書を提出しましたが、多くの場所で実施されてしまいます。町内会の行事に参加しなくてはならないという義務感から、赤ちゃんをおんぶした母親まで、除染作業に参加したところもあったのです。また、甲状腺検査の拡大・継続を求めて、福島県県民健康調査課に要望書を提出したこともありました。二〇一二年からは、関東の医師、牛山元美さん(10章参照)たちの協力を得て、郡山市、いわき市、川俣町などで健康相談会も開催します。

子どもを持つ母親たちと、通学路の放射線量の測定も続けてきました。生活環境の中のあちこちに、局所的に放射線量の高い、いわゆるホットスポットが隠れていることも、明らかにしてきました。根本さんは、ホットスポットを見つけるたびに行政に除染を求めて掛け合いましたが、対応してくれた場所もある一方で、「そこに、二四時間、三六五日いるわけじゃないから」と取り合ってもらえなかった場所もありました。

毎年必ず通学路の測定を続けていた、ある放射線量の高かった地域では、原発事故から数年間、学校から許可を得て、保護者が協力し合って子どもたちを車で送迎していた地域もありました。また、別の母親と共に測定した時には、「子どもに、どこが放射線量が高いのかを細かく教えたい」と言い、ビデオカメラを回しながら測定したこともありました。

事故から四年後の二〇一五年に測定した時でも、自宅前の歩道で、地表五〇㎝の高さで毎時〇・五～〇・七マイクロシーベルト(事故前の一三～一八倍)という数値に驚いたこともありました。つい最近の二〇二三年一〇月にも、根本さんの自宅近くの畑で、〇・七マイクロシーベルト(事故前の一八倍)の場所を見つけ、根本さん自身もショックを受けていたのです。

使えなくなった薪

事故のあった年の六月頃、知人から、「自宅の薪《まき》ストーブの灰の数値が一kgあたり一万ベクレルを超えた」という話を根本さんは聞きます。根本さんも梅雨寒でつけていた薪ストーブの近くで測定をすると、毎時一六マイクロシーベルト(事故前の四二一倍)もあり、それ以降、何年も薪ストーブの使用をやめました。汚染された薪を燃やすことによって、灰の放射能濃度が薪の二〇〇倍の濃度と、とても高くなってしまうのです。

高濃度になってしまった灰を捨てたいと考え、根本さんは市の清掃センターに問い合わせると、「少しずつ混ぜて捨ててください」と言われてしまいます。そのことにも根本さんは驚いてしまったと言います。本来は、放射性廃棄物として扱わなくてはならないかもしれない濃度の高い灰です。

環境省は事故の翌年、岩手県、宮城県、福島県、茨城県、栃木県、群馬県、埼玉県、千葉県の八県の薪ストーブの灰を調査し、その一部から放射性廃棄物の基準値(一kgあたり八〇〇〇ベクレル)を超える放射性物質が検出されたと発表しています。また、林野庁も、薪自体が一kgあたり四〇ベクレルを超えるものは流通させないように都道府県に通知していました。しかし、薪ストーブを使う地域では、住民が近くの山から採ってきたり、分けてもらったりするのです。根本さんもまた、流通する薪を使うのではなく、知り合いに分けてもらい、庭に保管していました。

使えなくなった薪については、根本さんは直接東京電力に問い合わせもしました。すると「薪を洗って使ったらどうですか?」と言われたといいます。薪は、乾燥させて使うものです。洗ってしまっては、再び乾燥させなくてはなりません。しかも、木目に入り込んだ放射性物質が、洗っただけで除去できるとも思えません。根本さんはその回答に呆れてしまったと言います。

二〇一四年、そろそろ薪を使いたいと思い、根本さんが薪の表面近くで測定した数値は、毎時〇・五~七マイクロシーベルト。粉砕して濃度を測定してもらうと、一kgあたり、四七〇ベクレルもありました。林野庁が示した「四〇ベクレル」を一〇倍以上超えています。自宅の除染の順番がやっと回ってきた同じ二〇一四年に、その薪を一緒に捨てて行ってほしいと除染業者に頼むと、「土のみが対象なので持っていけない」と言われたのです。薪は、結局、使うことも捨てることもできなくなってしまったのです。

まずは疑ってみる

事故から一〇年以上が経った今でこそ、放射線量は、除染や自然減衰(放射能が時間とともに弱まっていくこと)によって、変化しつつありますが、原発事故から数年の間は、福島県内・近隣県で子育てをしていた親たちは、子どもをできるだけ被ばくさせたくないといった苦悩を抱え続けていました。

そのため、全国の市民によって少しでも放射線量の低い土地で過ごす「保養」の活動も始まりました。こどけんでも、埼玉県、北海道での保養企画、その中での、中学生への放射能リテラシー講座、座談会なども行いました。根本さんは、子どもたちに「原発事故について一緒に考えよう」という活動を続けてきたのです。また、二〇一六年からは、編集職の経験を持つこどけんの仲間と共に、紙媒体の「こどけん通信」を発行し始めます。放射能汚染からの防御さえできない空気の中で、不安を抱えて孤立してしまう人たちに、情報を届けるためです。この「こどけん通信」は、現在も発行されています(二〇二三年現在)。根本さん自身も、福島県内に住みながら、日常生活の中で原発事故について思うことを寄稿しています。

根本さんは、学習塾で子どもたちと日常的に接しています。子どもたちが語る原発事故に対する不安や思いも、聴き続けてきました。ある生徒は、原発事故直後、おじいちゃんが泣きながら「謝んなきゃなんない」と話してくれたことを根本さんに告げます。「こんなに天気がいいのに、原発事故のせいで、お前たちは外で遊べないんだね」と言って、心底、申し訳なさそうにしていたと言います。その時、生徒は、「もう、お布団の匂いが、かげないんだね」と言ったと、根本さんに話したのです。根本さんはその言葉が忘れられないと言います。原発事故直後、放射性物質が布団や洗濯物に付着することを防ぐために、外に干さなくなった家もありました。少しでも子どもたちに放射性物質に触れさせたくないという親の思いでした。

事故直後の二〇一一年には、塾の生徒たちが授業中に鼻血を出すところも実際に何度も見ています。鼻血については「不安を煽《あお》るな」と言って一時期はひどいバッシングが起きました。それは「急性被ばくではない」「そこまでひどい被ばくは起きていない」というバッシングでしたが、そんなことを言いたいのではなく、別の理由だったとしても、事実として、鼻の粘膜《ねんまく》を焼く処置をした生徒の話を複数人から聞いたのだと根本さんは話します。

二〇二一年四月、当時の菅《すが》首相がＡＬＰＳ処理汚染水の海洋放出を決定した日に福島県庁前で開かれた抗議集会に、根本さんは参加していました。塾の生徒を思ってのことです。

「浪江町《なみえまち》から郡山市に避難をしてきた子で、いつか漁師をやりたいという夢を持っているんです。その生徒に「あの時、先生は何をしていたの？」と言われてしまうと思って、いくことにしたの」。

しかし、二〇二三年八月二四日から、海洋放出が始まってしまいます。根本さんは「テレビの報道を見ていても、まるで福島県だけに判断を押し付けているようで、おかしいと思うんです。私たちが悪いかのような……。本来は、世界の人たち、全国の人と一緒に決めることだと思うんです。海は、つながっているのに」と話してくれました。

また、ＡＬＰＳ処理汚染水の安全性については、福島県内のテレビ、新聞、ラジオでも喧伝され、高校生に対する授業も行われています。これに対しても、税金が使われ、根本さんも日常的に目にすると言います。

「日本の教育が間違っているんじゃないかと心配で。上から言われたことが正しい、ということを続けてしまったら、あっという間に「戦争」につながるんじゃないかと思う。「これが正しいことです」なんて教えるよりも、「まずは疑ってみなさい」といつも私は思うし、生徒にもそう伝えます。今の海洋放出についても、本当は、自分で探ったり、考えたりする力をつけることが大事。それを奪うことは、この国の衰退にもつながってしまうんじゃないかと思って……」。

この本に私が書いていることも、聞かせてもらった誰かの経験＝事実を話しています。根本さんが話していたように、「正しさ」を語るよりも、事実を積み上げることで見えてくるものや、考えたくなるものがある、あってほしいと思うからです。

5章
原発から 20 km 圏内で
──原発のすぐ近くで活動を続けた人たち

行方不明者の捜索（写真提供：双葉消防本部）

二〇一八年一〇月から、私は福島県双葉郡《ふたばぐん》にある、双葉消防本部に一年二カ月ほど通い、原発事故当時、原発から二〇km圏内で、救助・救急にあたった一二五人の消防士のうち、六六人の消防士から話を伺いました。

「二〇km圏内は避難指示が出たのではないの?」と疑問に思うかもしれません。住民はほとんどの人が避難をしてしまった中で、双葉消防本部の消防士たちは、原発から二〇km圏内にとどまり、活動を続けたのです。彼らの活動は、二〇二〇年に『孤塁　双葉郡消防士たちの3・11』という本にまとめました。その後も双葉郡で活動し続ける消防士の方々に、会いにいくことがあります。

私が通っていた一八年から、双葉郡はどんどん変化しています。当時は、一日のべ三〇〇〇台ともいわれていたトラックが、福島県内の除染《じょせん》によって発生した放射性物質を含む土を、中間貯蔵施設《ちゅうかんちょぞうしせつ》に運び込むために行き来していました。人の往来よりも、トラックが多かった印象があります。そして、避難指示が出ていた面積のおよそ三分の一が解除になった二〇一七年の春以降は、スーパーや飲食店も増え、自家用車も人の姿を見かけることも増えました。

双葉郡の消防士の一人、木村匡志さんに会いに行った時に、印象深かった言葉があります。「原発事故当時、双葉郡への（放射能汚染が高いことへの）差別がありました。一二年が経った今、その差別はなくなってきましたが、逆に、原発事故の風化がひどくないですか……と思うんです」。

その、葛藤《かっとう》する思いを聞かせてもらいました。

双葉郡、木村さん。職業、消防士

二〇一一年三月一一日当時、木村さんは浪江町《なみえまち》大堀地区にある築二〇年ほどの家に、お父さんと二人で暮らしていました。「本家」は江戸時代から続いています。木村さんが住んでいた浪江町の大堀地区は原発からはおよそ一〇㎞。江戸時代からの歴史を有する「大堀相馬焼」という陶器でも有名な地域です。お父さんは浪江町役場の職員として、匡志さんは消防士として働いていました。当時、三一歳でした。

双葉郡の消防士は、二四時間勤務と非番（休み）を三回繰り返し、二日休む、という勤務スケジュールを、二つのチームで交代にこなしています。地震当日は、木村さんは非番の日。四月から救命士の学校に通うことが決まっていたため、自宅の二階で勉強をしていました。

車両を切断し、遺体を収容する
（写真提供：双葉消防本部）

午後二時四六分。揺れが始まると、テレビが大きく揺れ、咄嗟《とっさ》に木村さんはそのテレビを押さえました。さらに揺れが激しくなると同時に、天井と壁が崩れ、土煙がもくもくとあがり、「死んでしまうかもしれない」と思ったそうです。揺れがおさまり、二階の廊下に出ると、家は崩れかけています。慌てて家の外に這《は》い出ると、水道管が破裂して、屋根より高くドーッと水が吹き出していました。車の上に屋根瓦《やねがわら》が落ち、水道、ガス、電気すべて止まってしまいました。

　地震でめちゃくちゃになった部屋から消防の活動服を引っ張り出すと、ガスと水道の元栓《もとせん》を閉め、車に落ちた瓦を取り除き、その車で消防署へと向かいました。

　周辺の住民たちが家から命からがら這い出てきたのか、大きな通りまで出てうずくまっていて、その様子は、今もはっきり記憶に残っているそうです。いつもなら一五分程度で消防署に着くはずが、地震の影響で道路に段差、亀裂《きれつ》ができ、三〇分ほどかかって到着すると、木村さんはすぐに倒壊家屋に住民救助に向かいました。

浪江町の記録によると、この地震・津波による浪江町の死者は一八二人(うち津波による溺死《できし》が一五〇人、行方不明三一人、家屋倒壊による圧死は一人)と発表されています。

津波、到達

署に戻ると、「津波到達」という情報が入りました。五m、七m、一〇m……色々な情報が飛び交っていたので、木村さんは若い職員と一緒に敷地内にある訓練塔に登り、海のほうを確認しました。

「津波、本当に来ています!」。

浪江町の請戸地区が津波に襲われているのが見えました。木村さんは他の消防士たちと共に、すぐに津波救助に向かいました。田畑は冠水し、瓦礫《がれき》、流れ着いた家の二階部分、そして泥《どろ》と海水にまみれていました。暗くなり始めた頃、家の二階に避難したまま流れてしまった高齢の女性を、小型ボートに乗せて救助しました。

その後は、日が落ちた暗闇の中、たくさんの人が流れついていた大平山のふもとに向かいました。「誰かいませんか！」「声をあげて！」と叫ぶと、泥と瓦礫の間から、小さな声や灰色の手や足がぬっと上がり、そこへ向かうということを繰り返していたそうです。

しかしだんだんと、声かけをしても反応がなくなっていきました。この間、大津波警報は出たまま。いつ再び大きな津波が襲ってもおかしくない中で、ヘッドライトを頼りに救助活動を続けていました。三月一一日はとても寒い日で、木村さんたち消防士もその厳しさに耐えていましたが、救助した人たちも、低体温症を起こしている人がたくさんいたそうです。

駆けつけられなかった緊援隊

深夜一時を回り署に戻ってからも余震は続いていました。大きな災害の時には、全国から緊急消防援助隊（緊援隊）が来ることになっています。被災地の消防力だけでは対応が困難な大規模・特殊な災害が発生すると、緊援隊が駆けつけるのです。双葉郡の消防士たちも、この緊援隊を待ち侘《わ》び、準備していました。木村さんも、浪江消防署の向かいにある浪江町役場で、受け入れる準備をしていました。

ちなみに浪江町役場で働くお父さんの安否は、わかっていませんでした。発災直後から、携帯電話もつながらなくなってしまっていたのです。しかし、役場に行くと、知り合いの職員から「お父さんは大丈夫だからな」と教えてもらい、木村さんはホッとしたと言います。

全国から緊援隊の消防士が駆けつけるための準備をしていた木村さんは、一二日朝の五時頃に、「原発が異常な状態なので、（緊援隊は）双葉郡には入れません」という連絡を受けます。夜通しで緊援隊が集結する場所、救援の分担、病院等の連絡先などをまとめ、計画していたこともすべて水の泡。しかも、この先、他地域からは誰も助けに来てくれないかもしれない、という絶望感が襲いました。

避難指示、出る

ほとんど寝ないまま迎えた一二日の朝、今度は、町に避難指示が出ます。浪江町の記録では、防災行政無線の文言も記録されています。一二日、朝七時一五分のアナウンスはこんなふうに流れたそうです。

「総理大臣の指示により、原子力発電所から一〇㎞以内の地域に避難指示が出ました。町内のほぼ全域が対象となります。自主的に避難できる方は一一四号線をとおり津島小学校、津島中学校、つしま活性化センター、浪江高校津島校へあわてずに避難してください。また、具合が悪い方は、津島診療所で受診できます。また、自主的に避難できない方は、役場でピストン輸送しますので役場にお集まりください」

『浪江町震災記録誌〜あの日からの記憶〜(平成二三年三月一一日〜平成二八年三月三一日)』より

大きな地震と津波から一夜明けたばかりの早朝、町中に、このアナウンスが響き、人々は慌てて一一四号線という国道で西へ西へと避難を開始します。

ちょうどこの頃、お父さんの潔さんは、役場職員として、地元のバス会社に住民避難のバスを手配するために電話をしています。しかし、すでに東京電力(以下、東電)が借りた、と告げられたそうです。「避難するためのバスが来なかった」という話は、富岡町でも双葉町でも聞きました。避難する人数に対し、手配できるバスの数は圧倒的に足りていなかったのです。

一方、住民たちが避難する中、木村さんたち浪江消防署の消防士は、早朝から特別養護老人ホーム「きふね」の高齢者を救急車に乗せて、山を越え、ピストン輸送をし続けていました。左車線は逃げる車で渋滞が延々と続いていましたが、サイレンを鳴らしながら右車線を緊急走行している時は、「映画の中の世界のようだった」と木村さんは言います。

放射能汚染は、広く、まだらに、そして局所的に

そんな中、福島第一原子力発電所構内で、「胸が苦しい」という（傷病者）が発生した、という連絡が入ります。木村さんは異常が発生しているとわかっている原発の構内へ、三人で傷病者の搬送のために向かいました。実は、この時の木村さんは知りませんでしたが、原発はかなり危ない状況に陥っていたのです。

福島第一原発に向かう途中、原発の構内からバスがどんどん出ていくことが気になりました。原発構内からも避難していく人がいたのかもしれません。傷病者の元へいく途中、木村さんのポケット線量計（個人の被ばく量を測る測定器）は三〇分で一〇〇回ほど「ピッ」と鳴ったことを記憶しています。通常の放射線量であれば、仮にずっと携帯していても、せいぜい一日に一回鳴る程度の設定です。まだ原発は爆発していませんでしたが、すでに、放射性物質が漏れ出ていることを示していました。木村さんがこの時「三〇分で一〇〇回ほど鳴った」と記憶しているのは、救護活動をしつつも、放射線量の上昇に気づき、意識的に数え、何度も線量計を確認していたのだと思います。そして一二日午後三時三六分、一号機が爆発

します。

一号機の爆発の頃、お父さんの潔さんは、原発から一〇㎞ほど離れた苅野《かりの》小学校の入り口の苅野公民館分館で、炊き出しをしていました。おにぎりを握っている時に、「ドカーン」という音を聞き、「ヘリ(ヘリコプター)でもぶつかったのかな?」と思っていたそうです。東電から「原発事故は絶対に起きない」と聞いていたので、原発事故を疑うことはなかったと言います。

一方、木村さんは、川内村の診療所から浪江消防署に戻っていました。その途中、ポケット線量計の鳴る頻度は、突然上がったり、下がったりしたことも覚えているそうです。特に、山側を走る山麓線《さんろくせん》(県道三五号)のあたりでは、「ビー」と鳴りっぱなしでした。放射能汚染は、広く、まだらに、そして局所的に、双葉郡を覆っていました。

分散避難、そして原発構内へ

浪江消防署に戻ると、浪江消防署の全員が、原発から約二〇㎞にある川内出張所と葛尾《かつらお》出張所に分散して避難するところでした。実は、浪江町役場も一二日の午後三時頃には役場ごと避難を開始しています。浪江消防署も、午後四時には消防署全体で避難を開始しました。

役場も消防署も、原発から一〇km圏内にあったからです。

木村さんも川内出張所に向けて出発します。すると、双葉町のあたりで、高齢の男性がとぼとぼと町を歩いていました。ちょうど、ポケット線量計が「ビー」と鳴りっぱなしになる山麓線のあたり。声をかけると、おじいさんは「みんなどうしたんだい?」と不思議そうでした。原発が爆発したことを告げ、「とにかく、乗ってください」と消防車両に乗せると、川内村へ一緒に避難しました。その後、木村さんたちは川内村の公民館や学校に設置された避難所を交代で担当し、慣れない避難生活で体調を崩した住民に備蓄の薬、市販の薬を配布したり、血圧測定を行ったりしていました。原発に近いところで活動してきた消防士の被ばく量の測定などを行うこともありました。

この頃、双葉郡の消防士は、訓練で任務とされていた「住民の避難誘導」をはるかに超え、爆発した

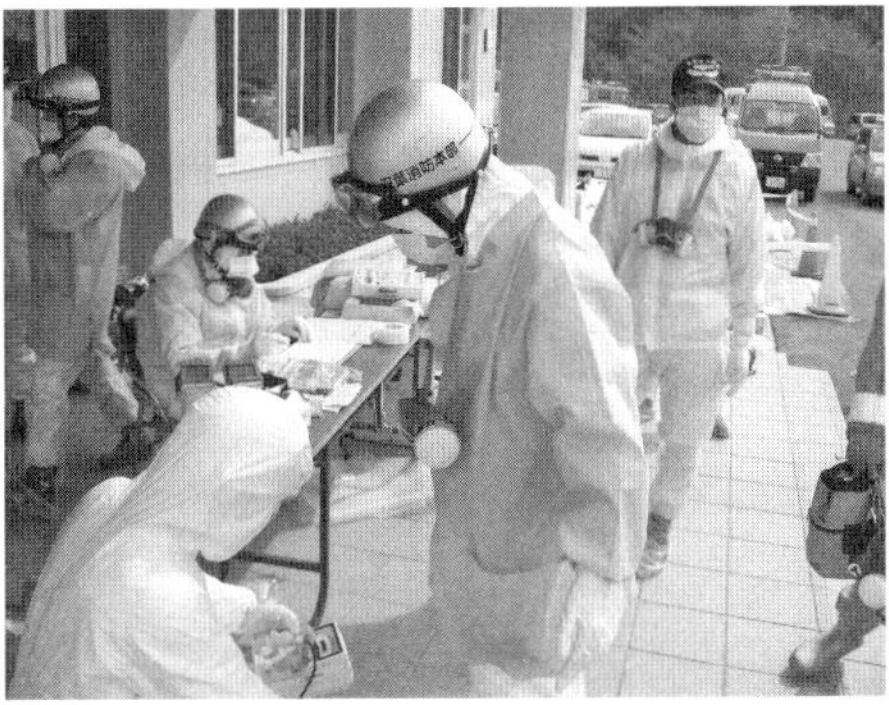

スクリーニング(写真提供:双葉消防本部)

あとの原発構内に傷病者の搬送のために向かったり、原発を冷やすための水を原発のすぐ近くの川で汲んで運んだり、避難をしていない人を迎えに行ったり、不眠不休《ふみんふきゅう》で活動していました。一二日の一号機の爆発も、一四日の三号機の爆発も間近で見た、音を聞いた、という消防士がたくさんいます。そして、木村さんもその一人です。

一四日の午前中、原発構内で原子炉を冷やす給水活動をしていた自衛隊車両のために、水がなくなったらすぐに給水できるよう、熊川(大熊町、原発から約三㎞)で四人の消防士が待機していました。その消防車に給油するため、木村さんともう一人の消防士が携行缶を赤いキャラバンで運び、給油していたそうです。その最中に、「ドカーン!」という大きな音が聞こえました。その途端、ポケット線量計の音が「ピピピピ」と連続して鳴り、「放射線量がやばい、逃げろ!」と慌てて川内出張所へと逃げ帰ったと言います。

三月一五日には、消防長が全員を集め、「東電から原子炉の冷却要請が来ている。どう思うか」と尋ねる会議が開かれました。すでに一号機、三号機が爆発し、二号機が危機的状況にあった頃です。狭い部屋に集まった消防士たちからは「殺す気なのか!」「反対だ!」といった怒号《どごう》が飛んだと言います。「行けというなら辞表を出す」「家族のことは保障してくれるんですか」と言った職員もいたそうです。過剰なストレスのあまり、倒れてしまった職員、泣いていた職員もいました。

木村さんは、当時、父親の安否は確認していたこと、独身だったことで、「原発構内で働いている人を助けに行くことは、消防士としてやらなくてはならない」と考えていました。でも、まるで捨て駒のように「原子炉を冷却しろ」「爆発しても突入しろ」というのは、違うのではないか、と考えていたそうです。

そして、一六日早朝には、「四号機で火災が発生」という連絡が入り、二一人の消防士が原発構内へと向かっています。この時、木村さんは「国や、県は、この双葉消防本部の活動を知っているのだろうか」と疑問に思い、その後、さまざまなデータを、きちんと記録に残さなくてはならないのではないか、と考えるようになったと言います。

最悪のシナリオ

今でこそ、原発事故の規模を私たちは知っていますが、当時、福島第一原発の所長だった吉田昌郎氏は、政府の調査に対して、三月一四日の夜ことを、「ここだけは一番思い出したくないところ」「本当に死んだと思った」と言い、こんなふうに話しています。

「これで二号機はこのまま水が入らないでメルトして、完全に格納容器の圧力をぶち破って燃料が全部出ていってしまう。そうすると、その分の放射能が全部外にまき散らされる最悪の事故ですから。チェルノブイリ級ではなくて、チャイナシンドロームではないですけれども、ああいう状況になってしまう。そうすると、一号、三号の注水も停止しないといけない」

（政府事故調査委員会ヒアリング記録・吉田昌郎『事故時の状況とその対応について4』より）

「チャイナシンドローム」とは、核燃料が地球を貫通して裏側まで到達するような大惨事のことです。つまり、チェルノブイリ原発事故の規模を超え、地球の反対側まで巻き込む規模の大事故になるということを、当時の所長は想定していたのです。

また、日本政府は三月二五日、当時の近藤駿介原子力委員会委員長は、原発が人の手で制御できなくなれば強制移転区域は半径一七〇㎞以上、希望者の移転を認める区域が東京都を含む半径二五〇㎞に及ぶ可能性があるという「最悪シナリオ」を書いています。双葉郡の消防士が「遺書を書いていた」というのは、決して大袈裟《おおげさ》なことではありませんでした。

選択できない立場

これだけ地元の消防士が壮絶な活動を続けていながら、一五日午前には、「二〇km圏内の避難は完了した」と公表されていました。また、その後、東京消防庁からハイパーレスキュー隊が駆けつけ、放水を行うということも大々的に報道されました。そのため、双葉消防本部が活動服で避難所に行くと、「東京消防がやっているのに、お前らは何をやってんだ」と避難している住民から言われたこともあるそうです。前述の吉田昌郎所長のヒアリング記録を読んでも、双葉消防本部が、原発のすぐ近くで救急救助、そして給水活動に奔走していたことを知らなかった様子が伝わります。木村さんは、携帯電話の基地局がダメになったせいか、携帯電話が一切使えず、「同級生や消防仲間の間で木村死亡説まで流れていた」と苦笑します。

その頃、お父さんの潔さんは、津島地区に避難したあと、1章の鵜沼さんと同じく、二本松市へと避難していました。潔さんは、公用車やトラックを使って、避難所に物資を配って回っていました。福島県や東電からおにぎりやパンが四万食分も届き、余ってしまって賞味期限が切れる前に二本松市の人たちに配ったこともあったそうです。あまりの忙しさに、潔さんがお風呂に入れたのは、五月のゴールデンウィーク。それまで、水道で頭だけ洗い、避難所の学校の家庭実習室の床に段ボールを敷いて寝ていたと言います。

町民は、突然の原発事故による避難に、精神的にも肉体的にも疲弊《ひへい》し、不安や不満を募らせていました。東電に直接文句をぶつけられないため、その矛先を役場の職員に向ける人もいました。そうした苦情の対応をして、鬱《うつ》になった職員、身体を壊して入院した職員もいたそうです。

木村さんがお父さんと再会できたのは、六月頃だったと言います。避難指示が出て、住む家のない木村さんと潔さんには、落ち合う拠点すらありませんでした。木村さんを含む消防士たちは、避難して誰もいなくなった川内村のコミュニティセンターで寝泊まりしていました。二日間の休みの日には、木村さんは双葉郡から出て、郡山市の知り合いの家やいわき市のマンガ喫茶などを転々としていました。連日の過酷な活動に疲れ、ある時、「ちゃんとしたベッドで寝たい」と思い、いわき市のビジネスホテルを予約しようとしたところ、どこも空いていませんでした。当時は、原発事故対応のための作業員、あるいは避難者などで、どのホテルも満室でしたが、偶然空いていた一室に一人で入り、ピザを出前し、テレビを観ながら「自由っていいいな」と思ったそうです。しかし、だだっぴろい部屋で、ふと疲労感に襲われ、涙が出たと言います。

お父さんの潔さんも役場職員として奔走《ほんそう》する中、常に「余り物」しか選べませんでした。二本松市に浪江町の役場機能が移転してからは、役場から歩いて数分のとても古いアパートを借りて、住んでいたと言います。そのアパートも、残っていたもので、選択肢はなかったそうです。

家の解体

木村さんの家は、もうすぐ解体されると言います。お父さんは、自分で建てた家が解体されるのを、「見に行く」と決めているようだと木村さんは話してくれました。かつて、潔さんにお話を伺った時には、「帰還困難区域だから、壊せないんだ」と、解体する話は出ていませんでした。

二〇一八年当時は、帰還困難区域をどうするのか、方針が定められていなかったのです。「もう、毎年壊れていくのを見るのはいやだ」とも話してくださっていました。

いま、浜通りには、更地が増えています。たくさんの人、家族の暮らしの記憶がつまった建物が、更地にされています。それは、私にはただの解体工事とは思えません。ひとりひとりの人生や、その家に関わった人の歴史が、消されてしまうように思うのです。

不安を抱え続ける

双葉消防本部のある職員は、原発事故後に結婚し、今、小学生になる娘がいます。娘は、先天性疾患《せんてんせいしっかん》をもって生まれ、車椅子で生活しています。娘の病気を調べた時に、要因の一つとして「放射線被ばく」が含まれていることを知り、この職員は、「自分の原発事故後の活動のせいではないか」と考えたと言います。「放射線被ばくは関係ない、原因ではない、と言いたいけれど、誰にも原因は特定できないし、立証もできない。余計にやり切れないですよね」と。

「もしかしたら被ばくの影響ではないか」という不安は、この職員に限らず、これまで出会った福島県の人、近県の人からも聞いています。この不安を表立って口にすることも躊躇《ためら》う人が多いのが事実です。なぜなら、この職員が言うように簡単には「特定」も「立証」もできないからです。このやり切れない不安を抱え続けることは、原発事故のひとつの被害だと私は思います。

それは、一五歳の時に長崎で被爆した小説家林京子さんの作品からもうかがえます。林さんもまた原爆症の不安を抱えながら、数々の小説を発表してきました。少し長くなりますが、林さんの『長い時間をかけた人間の経験』の一節を紹介します。

一九八八年の春、私はアメリカの大学で、八月九日の体験を話したことがある。五十人ばかりの、教授や大学の院生たちが集まってくれた。話が終わったときに、一人の女性科学者が立って質問をした。あなたは遺伝子の問題を気にしているが、被爆と遺伝子の畸型化は関係がない。そのことを知っているか。知っているならどう思うか。通訳を通して伝えられる問いに、私は唖然とした。遺伝子の問題は早急に答えが出る事柄ではない。問題ありとする学者、なしとする人、不明とする人、確かな答は、その時点では出されていなかった。が、科学者であるのなら、不明は不明として扱うべきではないのか。しかもより黒い、とされている放射性物質と人類の遺伝の問題であるのに。そうであればとてもハッピーである、と私は答え、着席した。(中略)いずれであっても、勝者の国の論理、私にはそう受け取れた。もし彼女の証言が正しければ、私の今日までの生涯は何だったのだろう。私は、道化の人生を生きてきたのだろうか。そのときはじめて、もしそうであるなら私の人生に対する賠償をアメリカ合衆国へ要求したい、と本気で考えた。

（『長い時間をかけた人間の経験』講談社文芸文庫）

「そうであればとてもハッピーである」という言葉は、被ばくの健康影響、放射性物質と人類の遺伝の問題がないのであれば幸せだ、という意味です。しかし、林さんは、やり切れない不安、周囲の知人・友人の原爆による数々の病や死と向き合いながら、生き続けてきた被爆者の一人です。「被爆と遺伝子の畸型化は関係がない」と簡単に言い切るアメリカの女性科学者を目の前にし、愕然《がくぜん》としているのです。

現時点(二〇二三年)において、福島の原発事故の被ばくによる放射線の健康影響は認められていません。国も福島県も、そのように伝えています。しかし、林さんの「不明は不明として扱うべきではないのか」という指摘は、この職員の「放射線被ばくは関係ない、原因ではない、と言いたいけれど」という言葉に重なります。また、「不明は不明として扱う」ことは、進歩を重ねる「科学」というものの性質に真摯な姿勢だと思います。被害を受けた人を取りこぼさない意味でも、重要な考え方です。原爆だけでなく、過去の公害でも、「後から科学的にわかったこと」はたくさんあったからです。深く考え、葛藤し続けてきたこの職員を前に、私は、ただただ頷きながら話を聞くことしかできませんでした。

職員の娘は、普通小学校に通い、妻の協力もあり楽しく学校生活を送っているそうです。素直で明るい子どもに育ち、達者な口をきくようになったことも、「嬉しいんですよ」と話す職員の顔はほころんでいました。


前述の木村さんは、小学校などでも、震災の経験を話すことがあるそうです。震災の教訓を忘れないでほしい、と木村さんは言います。この本を読んでくださる若い人たちにも、こんな言葉を伝えてくれました。

「水害でも地震でも、災害は忘れた頃にやってきます。首都圏直下も起こると言われています。一と〇とでは、全然違うんです。一を知って、考えたことはのちのち、役に立ちます。減災の知識は必ず、自分を守るから、聞いたり、見たり、読んだりすることをやめないでください」と。

放射能汚染に対して、「安全だよ」「気にしてないよ」という人もいます。でも、「やっぱり心配だよ」「国と東電を信用できないよ」という人もいます(「国と東電を信用できない」というのは、原発事故前から、後になって情報が出てきたり、情報自体が間違えていたり、信頼を損なう事象が繰り返されたという歴史があります)。

しかし、中には、「何もかも、原発事故のせいにするな」あるいは「その程度の汚染は科学的に安全なんだから、受け入れろ」といったことを言う人もいます。でも、不安を語ってくれた職員や、記録を残さなければと語る木村さんも含めて、このひとりひとりが抱えている、原発事故をめぐるさまざまな葛藤や本音の言葉は、誰が聞いてくれるのでしょうか。すべて、なかったことにすれば、それでいいのでしょうか。

6章
あの原発事故は防げたかもしれなかった

三春町の桜

「私たちは静かに怒りを燃やす東北の鬼です」。

原発事故から半年後の二〇一一年九月、東京の明治公園で「さようなら原発」集会が開かれました。この時、福島県三春町から参加し、スピーチをした武藤類子さんの言葉です。「静かに怒りを燃やす東北の鬼」というフレーズは、多くの人の心に残りました。類子さんが、決して「鬼」のような人でもなく、「鬼」のように語ったのでもなく、そんな言葉が似合わないほど、優しく温かい人であることが、そのスピーチの端々と、類子さんの佇まいから伝わっていました。その言葉のあとには、こんなふうに続きます。

「私たち福島県民は、故郷を離れる者も、福島の地にとどまり生きる者も、苦悩と責任と希望を分かち合い、支えあって生きていこうと思っています」。

普段、「鬼」とは対極のような優しさをたたえた類子さんが、「鬼」という言葉を使った、そのことが、その苦しみ、悲しみ、怒りを聞く者の心により深く刻んだのです。

一〇〇〇年に一度の地震

二〇一一年三月一一日の出来事は、「一〇〇〇年に一度の地震」と言われています。

3章でもふれましたが、その地震、そして大津波が到来した瞬間、東京電力(以下、東電)の関係者の中に、「しまった！」「原発事故を防ぐための、あの対策を進めておけばよかった！」と、思っていた人がいたかもしれない……その事実を明らかにしてきたのが、東電を訴えた刑事裁判です。この裁判で罪に問われたのは、勝俣恒久氏、武黒一郎氏、武藤栄氏の、当時の元経営陣である三人です。津波対策を怠ったことにより、原発事故を起こし、死亡者を出したことから業務上過失致死傷罪で起訴されました。

起訴までの道のりは長いものでした。東電の元経営陣たちの刑事責任を問うよう、福島県の住民及び全国の一万五〇〇〇人近くの人々が、事故の翌年の二〇一二年六月、刑事告訴・告発を検察に行ったのですが、検察官は不起訴処分としたのです。しかし、市民からなる検察審査会*での二度にわたる「起訴すべき」の議決により、二〇一五年七月一七日に、強制起訴を決定し、三一日に公表したのです。原発事故から四年後のことでした。

*検察審査会は、「選挙権を有する国民の中からくじで選ばれた一一人の検察審査員が、検察官が事件を裁判にかけなかったこと(不起訴処分)のよしあしを審査」する機能のこと(裁判所HPより)

原発から約四・五㎞のところにあった双葉病院では患者が五〇人も亡くなりました。検察審査会はそのうちの四四人を原発事故による避難の過程で死なせたとして認定しています。

双葉病院には、寝たきりの高齢患者らが三三八人入院し、隣の系列の介護老人保健施設、「ドーヴィル双葉」にも九八人が入所していました。原発事故が起き、一二日の早朝に半径一〇㎞圏内に避難指示が出ると、双葉病院も避難しなくてはならなくなってしまいました。突然の避難は、1章の鵜沼さんや木場さんの例からもわかるように、とても大変でした。それは避難の受け入れ先がはっきりしないまま移動するためです。医療体制の整った受け入れ先を、地震と津波、さらに原発事故の混乱の中で見つけることは困難をきわめ、病院のスタッフたちはどれほどの焦りと不安があっただろうと思います。

最初のバスには、入院患者二〇九人と医師と看護師ら五〇人がのりこみました。「近くの体育館に避難するらしい」と聞いていましたが、目的地を過ぎても、トイレに行きたいと訴えても、バスは止まらなかったそうです。なぜなら、ちょうどその頃、原発の一号機が爆発したからです。患者の中には、失禁する人も出てしまいました。やがてバスは、いわき市の病院に到着します。当時、一六〇床が満床だったところに、二〇七人(二名は家族が引き取った)が加わったのです。

次のバスは、一四日の早朝まで出発できませんでした。電話が通じない状況が続いていたからです。そのため、一四日朝まで助けはこなかったのです。この日の朝四時、とり残されていた双葉病院の患者一二九人のうちの三四人と、「ドーヴィル双葉」の九八人がバスに乗って避難をしていきます。実は、このバスに乗った人たちがたくさん亡くなってしまったのです。受け入れる病院が見つからないまま移動していたため、相双保健所(南相馬市)、福島県庁(福島市)、いわき光洋高校(いわき市)と、一〇時間に及ぶ大移動をしたからです。

最終的には、双葉病院の入院患者全員が避難するのに、一五日深夜までかかってしまいます。この頃には、病院付近の放射線量も高くなっていて、救助に向かった自衛隊員も「放射線量計の警告音が鳴る間隔がどんどん短くなり、放射線の塊が近づいてくるような感覚だった」「医師免許を持った自衛官が「もう限界だ」と叫び、すぐに病院を出発するように指示をした」(『東電原発事故10年で明らかになったこと』平凡社新書/添田孝史)と話しているのです。

公判は三七回行われましたが、第三四回の公判では、親を亡くした被害者遺族の陳述《ちんじゅつ》を弁護士が代読しました。その中の一つを紹介します。

「父は寝たきりで二時間ごとの体位交換が必要でした。経口摂取も困難で中心静脈カテーテルで栄養や薬剤の投与を受けていましたが、避難の際に抜かれ、水分や栄養分を摂取できなくなりました。このような酷い状況に一〇時間近くも置かれ、父は亡くなったそうです。父は寒がりでしたし、水分や栄養を摂取できず、身動きもできない状況で、どれほど辛く、苦しかったことでしょう。私が結婚するにあたって、夫が実家に挨拶に訪れた際に、父は「ここは原発があるからな」と不安を口にしました。原発のことを不安に思っていた父が、原発事故で亡くなるとは全く想像もしていませんでした」

（福島原発刑事訴訟支援団「「母は東電に殺された」被害者遺族の陳述」刑事裁判傍聴記：第三四回公判／添田孝史より）

このようなことが、多くの人の身の上におこったのです。

たくさんの犠牲で成り立っている

武藤類子さんは、この裁判の支援団の副団長です。東電刑事裁判のたびに福島県三春町から東京都まで通い、三八回すべての公判を傍聴《ぼうちょう》しました。そんな類子さんは、福島県生まれ、福島県育ち。幼い頃の話をしてくれたことがあります。

「缶蹴りってあるでしょう。あの缶をね、いつまでも蹴られる子どもだったんです」と、ふふ、と笑います。山を眺めたり、川の流れを眺めたり、「観察」がすごく好きな子どもだったそうです。

「その頃の暮らしのささやかな豊かさをすごくよく覚えていて、そういう時代が好きだったなぁ」と。類子さんは、一九八六年のチェルノブイリ原発事故の時に「自分が無知だった」ことに衝撃を受け、原発に関する書籍を数多く読み、原発の反対運動に関わっていくようになりました。一九九〇年代に入り、青森県六ケ所村で核燃料サイクル施設反対運動にも加わりました。一九九三年には、初めて六ヶ所村に低レベル放射性廃棄物が運ばれることになりますが、それが福島原発からでした。類子さんは、運ぶ船を港の近くの丘から見送り、「私たちも原発の犠牲になっているかもしれないけれど、私たちがさらに犠牲にするところがある。たくさんの犠牲で成り立っているのが原発だ」と思ったと言います。

悩み抜いた結果、「ひとりひとりが暮らしを変える、まずは自分が、無駄な電気をできるだけ使わない暮らしをしてみよう」と、類子さんは、原発事故前、実践していたのです。祖父母が残してくれた山を手で開墾し、小屋を建てました。ソーラーパネルの電気と薪《まき》ストーブだけの暮らしをしていたのです。

その頃には、それまで勤めていた教師をやめ、雑木林に囲まれた「里山喫茶きらら」を開いていました。ミツバチを飼い、はちみつ、蜜蝋《みつろう》をとり、蚊帳《かや》やすだれなどを駆使しながら涼をとり、お店では大好きな音楽をかけ、ライブ演奏を行ったりもしていました。

風が吹いた次の日は枝を拾い、エネルギーは薪を使い、太陽熱でお風呂を沸かし、可能な限りの自給自足。福島の豊かな自然を生かした「原発から遠い暮らし」でした。

しかし、そんな時を重ねた暮らしは、原発事故で一変してしまいます。「身近にあった自然が、ガラスの向こうにあるような、触れてはいけないような、違う世界になってしまったような感覚だった」と類子さんは言うのです。里山の自然を生かした、類子さんの喫茶店も、原発事故による放射能汚染の影響を考え、震災後にたたんでしまいます。

刑事告訴に踏み切る

二〇一一年の原発事故が起きた時には、類子さんは茫然自失《ぼうぜんじしつ》の状態でした。「本当に自分はなにをやっていたんだろうと思った」と言うのです。前年の同じ頃、福島原発に行ったちょうどその時に、震度五弱の地震があり、すごく怖い思いをしたそうなのです。

二〇一二年に、原発事故の告訴団が立ち上がり、刑事告訴に踏み切ります。福島県民約二〇〇人を含む一万五〇〇〇人が集まりました。前述の通り、検察審査会の二度の議決により、事故から二年経った二〇一五年、強制起訴が公表され、二〇一七年春、ようやく、東電の刑事責任を問う初公判が開かれました。そして、三八回の公判を経て、判決に至ったのです。

原発事故は、津波による浸水で全電源を喪失《そうしつ》したことにより、原子炉を冷却ができなくなったことで起きました。この裁判では、「東電は、最大一五・七ｍの津波は予測できていた（知っていた）」「防潮堤の建設、代替機器を高台に置く、水密化（外部から水が侵入しないようにすること）などの安全対策を実施する義務があった」「それらの対策が終わるまで、運転を停止すべきだった」ことが争われています。津波予測に対し、安全対策を実施していれば、事故は起きず、原発近くの病院にいた患者たちは避難する必要がなく、亡くなることもなかった、というところがこの刑事裁判のポイントです。

しかし、東電（被告）側は、「一五・七ｍの津波は、「試算」にすぎないので、対策を取るには不確実性が高かった」「一五・七ｍの想定が妥当なのか、「土木学会」に相談していて、その結果に従う予定だった」「もし、対策をしていても、予測されていた津波の高さ、襲来する向き、浸水規模が違う想定外のもので、事故は防げなかった」と主張したのです。

この裁判の過程では、東電の数々の不誠実な対応が明らかになりました。また、裁判以前に出ていた、政府事故調査報告書や、国会事故調査報告書でも知らされなかった事実が、証拠と証言によって明るみに出たのです。しかし、それでもまだ、隠されていることがあると考えられています。

津波は予見でき、対策をすれば原発事故を回避できたのでしょうか。

二〇〇二年には、地震本部(地震調査研究推進本部)の「長期評価」が出されていました。「長期評価」とは、阪神淡路大震災後に、防災対策を政府や民間にしてもらうため、地震に関する研究成果を国が一元的にとりまとめた地震・津波リスクの評価のことです。

これをもとに、同年八月には、原子力安全・保安院が東電を呼び出し、「福島沖も津波を計算すべきだ」と要請していました。しかし、呼び出された東電の担当者が「四〇分間くらい抵抗(メールに残された表現)」して、「確率論で検討するから」とその場を逃げ、結局要請に応じなかったことも明らかになっています。

二〇〇四年にはスマトラ島沖地震による大津波が起き、二〇〇七年には新潟県中越沖《ちゅうえつおき》地震が発生しました。この地震によって東京電力柏崎刈羽《かしわざきかりわ》原発の原子炉がすべて停止し、長期にわたって再稼働できない状況となりました。東電ではこの柏崎刈羽原発の運転再開がその頃の最重要課題だったと、清水正孝社長(当時)が検察官に述べています。

時を同じくして東電内部では、福島原発の一五・七mの津波への対策が必要だという意見で一致していて、具体的な話をするところだったのです。しかし、突然、津波対策はストップします。刑事裁判の支援団は「ちゃぶ台返し」と呼んでいますが、二〇〇八年七月三一日に開かれた会議で、これまで進められてきた津波対策の方針がひっくり返されてしまうのです。原発事故から、三年半前のことです。

「当時柏崎刈羽の全原子炉が停止した状況にあったことから、火力による発電量を増やすことで対応していましたが、その結果燃料費がかさんだため、収支が悪化していました。そのような状況の中で、1F(福島第一原発)までも停止に追い込まれれば、さらなる収支悪化が予想されますし、電力の安定供給という東電の社会的な役割も果たせなくなる危険性がありました。そのため東電としては、1Fが停止に追い込まれる状況はなんとか避けたいことでした」という証言がありました。つまり、経営改善のために、津波対策を怠った可能性があるのです。

この裁判の経緯は、WEBでも本(参考文献参照)でも読むことができます。他にも、「津波対策を怠るべきではなかった」「原発事故は防げた」という証拠がたくさんあることがわかります。

類子さんは、「社員が「津波対策を考えていた」と言っているのに、公判の最後に、被告人である日本最大の企業の責任者が、「自分に責任はない」と言ったことには、啞然《あぜん》としてした」と話しています。

もし、津波対策を進めていたら、もし、経営改善を優先せずに、地域の人々の暮らし、命を優先していたら、企業責任者が自分の「責任」を自覚していたらと、思わずにはいられません。しかし、一審(東京地裁)、二審(東京高裁)でも、被告人三人を裁判所は全員無罪とする判決を出しました。

「これまで、ずっと裁判を傍聴してきて、これが有罪でなくてなんだろう……と。事実を明らかにした上での反省と教訓がなければ、また同じことが起きてしまうのでは、と思います」と、類子さんは話しています。双葉病院からの避難で亡くなった方々、その遺族を踏み躙《にじ》る判決。類子さんたち支援団や全国で応援していた人たちも心底、この判決にがっかりしたのです。現在は、最高裁にて係争中ですが、最高裁は、口頭弁論を開き、高裁判決を破棄して刑事責任を明らかにするように支援団は求めています。

類子さんのお家に伺った時に、川のほとりの駐車場で「ここは、昔はテントなんかも張ってキャンプもできたの」と話してくれました。たたんでしまった「里山喫茶きらら」の中は、原発事故後のさまざまな資料でいっぱいになっていました。この「きらら」という名前も、きらめく人生を生きると決めて、つけた名前だと教えてくれたのです。

「原発反対も生き方そのもの。やらないという選択はないんだなぁ、と思います。大変だなぁと思うこともあるけれど、悔いのない人生だな、とも思うんです」。

これは放射能を測定してあるから大丈夫、よかったら持っていってね、とじゃがいもをお裾分《すそわ》けしてくれた類子さん。今も、原発事故に向き合い続けています。

7章
原発事故と子どもたち

桧原湖(北塩原村)

天国に行きたい

原発事故は、大人たちの日常だけでなく、子どもたちの日常も大きくかえました。

「本当は、思い出さなくていいなら、思い出したくないんです」。

と言いながらも、話をしてくれたのは、鴨下全生《かもしたまつき》さんでした。原発事故後の避難先で、いじめが続き、そのいじめに対して「自分が悪いんだ」と思っていたと言います。当時九歳だった鴨下さんの七夕の願い事は「天国に行きたい」だったと。

鴨下さんのように、避難先の学校で「放射能がうつる」「菌」などと言われ、いじめに苦しんだという子どもたちがたくさんいました。大人が話している言葉を聞いて口にしたのかはわかりませんが、ただでさえ見ず知らずの土地で不安な生活を送っていた子どもたちはその言葉に傷つき、学校での居場所をなくしていました。鴨下さんのように、自殺を考えた、死ぬことばかり考えていたと話をしてくれた子もいます。「よそ者」扱いされ、教師すら味方になってくれなかったという子の話も聞いたことがあります。特に、県外への避難においては、そういう話をたくさん聞きました。

いわき市で被災し、県外へと避難した鴨下さんは当時八歳でした。転校直後は、いじめはなかったそうです。むしろ「避難しているかわいそうな子」として、接されていたと言います。しかし、時間が経つにつれ、同じような生活ができるようになると、様子は変わりました。鴨下さんは「周りの人たちの心に、「この人は社会的地位が低いはずなのに」という感情が起きたのではないか」と思い返しています。いじめのつらさに耐えながら、「なぜ差別やいじめが起きるのか」ということを考え続けていました。

鴨下さんは、二〇二三年六月、裁判で意見陳述《ちんじゅつ》をしました。その陳述書には、こんなふうに当時のいじめのことが書かれています。

僕の人としての尊厳なんてないかのように扱う、人としての尊厳を踏みにじるものでした。世の中の多数派と対等には扱ってもらえず、みんなの不満のはけ口とすることが許されている存在であるかのように扱われました。常に不平等に扱われ、僕に何の非もなくても、目が合っただけで突然暴力を振るわれる。泣けば笑われ、怒れば殴られる。相手の気分次第で、私的なストレスのはけ口にされる。笑いながら暴力を振るわれ、こちらは言葉を発する自由さえ奪われていても、誰も助けてくれない。自衛のために学校を休めば、出席日数が減って自分の成績が下がる。そんな毎日でした。何度も、死にたいと思うほど苦しい思いをしました。

こういった言葉を、「胃のちぎれる思いで辛《つら》い記憶を掘り起こし」ながら書いたというのです。幼かった鴨下さんは、これは「いじめだ」という認識はなく、「どうしてこんな目に遭うのか、どうしたらいいのか、何度考えてもわからなくて、「こんなところから逃げ出したい」と、ただただ、耐え続けていたと言います。

激しいいじめから逃れるために中学受験をし、原発避難者であることを隠して生活しました。その後は友だちも増え、楽しい生活を送れるようになりましたが、その分、「隠す」ということが辛かったともいいます。いわきで過ごした時間のこと、家族のこと、避難生活のこと、いわき市の家の庭には放射性物質が残っているのに、政府や東京都から「避難の必要はない」「借上住宅から出ていけ」と言われること、そうなったら学校に通い続けられない不安を抱えていること——それらを、親友にすら話せなかったのです。

そんな毎日を送っていた鴨下さんの心は疲れはて、やがて体にも影響が出始めます。食欲がなくなり、眠れなくなり、頭痛がするようになり、「生きる気力がなくなっていった」というのです。

鴨下さんは、二〇一八年の秋、自分の苦しみを手紙に書いてローマ教皇に送ります。ローマ教皇には、世界中から、さまざまな人から、手紙が届くそうです。「読んでくれたらラッキー」という思いで書き、それほど期待はしていませんでした。

しかし、その手紙が奇跡的にローマ教皇に届きます。この時に、鴨下さんは心に決めていたことがありました。「もしもローマ教皇から返事がきたら、僕は顔も名前も出して自分の思いを社会に訴えよう」ということでした。そして、二〇一九年には、鴨下さんは直接バチカンでローマ教皇に会い、思いを伝えることも叶いました。

その数カ月後、「東日本大震災被災者との集い」(カトリック中央協議会主催)で、ローマ教皇と再会。鴨下さんは、その参加者の前でスピーチをします。原発事故、そして避難、いじめの経験などに加えて、自主避難者が直面していた借上住宅の打ち切りの問題、原発が国策であったこと、国によってつくられた分断についても話しました。そして、放射能汚染の現実と被ばくによる健康影響の問題、そして、世界から被ばくの脅威がなくなってほしいということも。しかし、そのスピーチが終わると、「「避難できた僕らは、まだ幸せだった」とは、どういう意味だ。私は今も、福島県内に住んでいる!」と一人の青年が鴨下さんにくってかかってきたそうです。
鴨下さんは、相手が納得するような返事ができず、そのまま帰宅すると急性胃炎になって高熱を出してしまいます。その時のことを振り返って、「その人もつらい気持ちがあったのだと思う。その痛みに耳を傾けるべきだったと、今でも後悔しているんです」と鴨下さんは言います。原発事故さえなければ、誰も避難するか否かといった選択などせずに、日常を送ったはずです。人生を変えることもなかったし、誰かの選択に心を掻《か》き乱されることもなかったはずです。

それがわかるからこそ鴨下さんは、胃薬を飲みながらも、それでも講演を続けています。「本当は、僕が話さなくていいなら、話すのが得意な人にまかせたいけど」とぽろっともらす鴨下さん。復興したかのような風潮に違和感を抱き、報道の少なさにも、懸念を抱くそうです。だからこそ、「やらないわけにはいかない」と話す鴨下さんは、この国についても心配していました。

ちょうど、お話を伺ったのはウクライナ戦争が始まった頃でした。そしていま、イスラエルによるガザへの激しい攻撃が続いています。
「国の安全保障を語る時、原発が攻撃されたらどうするの？　と思います。近隣国の脅威は強調するのに、原発について触れないのは、理屈が通りません。僕は日本が好きだから、この健全ではない状態を変えないと……と思っています」。

鴨下さんが言うことは、ごく真っ当なことなのです。未来を担う子どもたちに、原発は膨大なツケを残していることを、本当に申し訳なく思います。

鴨下さんの一五ページにもわたる陳述書は、心の叫びのようでもありました。その中で、

心に負った傷は、おそらく一生涯癒《い》えないと思います。こんな思い出したくもない苦痛の数々を綴《つづ》る作業は、吐きたくなるほど嫌でした。それでも書いたのは、国と東電に、きちんと悔い改めて欲しかったからです。

と訴えています。そして、「もう誰にもあんな辛い思いをして欲しくはない」と記し、「みんなの幸せのためにみんなの声を聴く、誠実な企業に、優しい国に、生まれ変わってください」という願いが書かれています。この鴨下さんの言葉を、国や東京電力は、どのように受け止めたのでしょうか。

次世代に伝えるラジオ

「次世代に伝える。原発避難11年目ラジオ」という番組のパーソナリティだった、櫻井脩弥さんにお話を伺ったのは、原発事故から一一年が経った頃でした。

お話を伺った頃、櫻井さんは、宇都宮大学の学生でした。原発事故当時は、福島県三春町に住んでいました。三春町は、原発から約六〇㎞の距離。自然豊かなところです。櫻井さんは五人家族で、一〇歳でした。学校は一学年四〇～五〇人規模の小学校。森でかくれんぼをしたり、畦道《あぜみち》を走り回ったり、木になっている実や、道端の酸《す》っぱい味のする草を口に入れたり、のびのびと外で遊べる環境がありました。

地震があった三月一一日、櫻井さんは友だちと、かくれんぼをしていました。揺れが激しくなり、「これはヤバい」と思い、遊んでいた友だちの家に一緒に帰りました。両親は仕事、兄と姉は学校だったので、しばらくその家で揺れがおさまるのを待ち、その後、家に帰りました。幸い、電気は止まりませんでしたが、断水になっていました。母が家に戻ってからスーパーに買い物に行きますが、ほとんど商品はありませんでした。

翌日、テレビで原発事故があったことを知りました。「ここに居て大丈夫なのかな」と親が話していたのを櫻井さんは覚えています。櫻井さん自身は、「放射能」というものがどういうものなのか、よくわからなかったそうですが、「これからどうなるのか」「人類は滅亡してしまうのか」「数分後がどうなっているのかわからない」と不安に思い、泣いてしまったと言います。母親がそんな櫻井さんを「大丈夫だよ」と宥《なだ》めてくれたそうです。

その後、学校は三月いっぱい休みになり、終業式も始業式も卒業式もなくなりました。卒業生がかわいそうだな……と櫻井さんは考えていたと言います。春休みは、ずっと留守番をしていました。外では遊ばず、家でゲームをしたり、テレビを見たり、といってもニュースも原発事故のことばかりで、ＣＭも、ＡＣ(公益社団法人ＡＣジャパン)ばかりで、つまらなかったことを覚えているそうです。

放射能については「怖い」という認識があったそうで、雨が降ると、濡《ぬ》れないように気をつけていたと櫻井さんは言います。ただ、友人同士でそういった話をすることはなかったそうです。

学校が再開すると、友だちに久しぶりに会えたことがとても嬉しくて、同時に、三春町に浜通り(葛尾村《かつらおむら》)から五人の転校生がきたことも嬉しかったと言います。幸い、櫻井さんの学校では、葛尾村からの転校生を歓迎し、すぐに馴染《なじ》んだということでした。

原発事故当初は、町や村役場ごとに、集団で避難をしていました。葛尾村は村役場ごと、三春町に集団で避難をし、双葉町は、集団で福島市に避難をしたあと、埼玉県のさいたまスーパーアリーナに向かっています。大熊町は、田村市に避難したあと、会津方面に。浪江町《なみえまち》は、二本松市に、富岡町は川内村から郡山市に避難をした人が多くいました。もちろん、町民全員が、町と一緒に避難をしたわけではありませんが、役場と一緒に避難していれば情報も入りやすく安心だと考える人が多かったようです。

櫻井さんは高校まで地元ですごし、大学入学をきっかけに栃木県宇都宮市に来ることになりました。その時にサークルで出会った先輩から「ラジオのパーソナリティをやってみない?」と声をかけられます。それが、とちぎボランティアネットワークが主催していた、ミヤラジ(FMラジオ局)の「みんながけっぷちラジオ」という番組でした。原発事故から一一年が経った、二〇二二年、櫻井さんは「次世代に伝える。原発避難11年目ラジオ」という番組のパーソナリティを務めることになりました。栃木県内にもたくさんの避難者がいたのです。

櫻井さんは、避難はせず福島県にいたため、このラジオを通じて初めて、避難した人たちのリアルな事故による苦しみを知り、それがずっと続いているということを知ったと言います。そこで、たくさんの避難者の方々に出会いました。「みな、原発事故による苦しい思いを抱えていますが、その一方で、被災しながらも、周りの人の支援も続けている元気な方もいて……」と紹介してくれたのは、双葉町出身の北村雅さんでした。北村さんとも、ラジオを通じて出会ったそうです。

風化

その北村さんは当時、双葉町の社会福祉協議会に勤めていて、原発事故の一号機が爆発した時は、双葉町内で、避難するための車の準備をしていました。デイサービスの利用者さん二人を搬送するために双葉高校に向かいますが、受け入れの確認ができずに、再び町の総合保健福祉施設「ヘルスケアーふたば」に戻ったと言います。原発からは、数㎞の距離です。

北村さんはその後、川俣町、郡山市、そして双葉町と一緒にさいたまスーパーアリーナから旧騎西《きさい》高校に移った時にも、そこで社協職員として高齢者のケアを続けていました。

北村さんは、その後、福島県いわき市へ、再び埼玉県加須《かぞ》市騎西の社協に戻り、定年を迎えました。現在は、栃木県小山市に住んでいます。

この間「北村さんは仕事があっていいね」と、同じ双葉町の人から言われることが何度もあったと言います。これは5章の消防士木村さんたちのお話を伺った時にも、同じ話を聞きました。「公務員はいいね、仕事があって」と。生業《なりわい》を奪われた多くの人にとって仕事をしている人がうらやましかったのだと思います。しかし、その仕事を続けている人自身も、本来は被災者・被害者です。仕事があっても、あるいは仕事があるからこそつらい(例えば、役場機能を離れて、より遠くへ避難したいということは叶《かな》いませんでしたし、家族と離れ離れになる人もたくさんいました)、という思いを抱えていました。それぞれのつらさを比較することはできません。どちらも、原発事故の被害者なのです。

北村さんは、お会いして最初に風化が進んでいることについて話をしてくれました。原発事故から一二年の間に、オリンピック、新型コロナ、ウクライナ戦争、そしてイスラエルによるガザへの激しい攻撃もあり、社会は原発事故の記憶を薄れさせています。それでも、被害を受けた人たちはさまざまな問題を抱え続けています。

「本当は、被害を受けたすべての人が、原発事故当時の話ができたらいいけれども、そうはいきません。いろんな事情を抱えているのが現実だと思います。しかし、やはり話をする、伝える行動を起こさないと、どんどん風化してしまいます。そのことによって、私たちが風化に加担をしているのではないかと、思うことがあるんです」と北村さんは言います。

原発事故によって暮らしを奪われ、悔しさを抱えていても、その原発の恩恵にあやかって生計をたてていたという意識もあり、あるいは身内に原発関連の仕事を持つ人がいたりすると、原発事故について語ることが難しい、根深い構造が原発立地地域にはあります。原発について話すことが地域の中でタブーとなり、「語れない」葛藤《かっとう》を抱えてしまうのです。しかし、そもそも原発事故の被害の根っこには、関東・都市部への電気のためであったという事実があることを忘れてはいけないのだと思います。

北村さんは一六〇年前から双葉町に建つ歴史ある自宅を、二〇一九年に解体しました。「あの事故があった三月一二日から、もう戻らないと決めていました」と北村さん。戻らないというより、戻れないと悟ったそうです。北村さんは、「帰還と同じスピードで廃炉《はいろ》作業が進められるものだと、思っていましたが、実際には帰還が先で、廃炉作業は見通しがついていません。廃炉作業の見通しが立っていない何の担保もない現在では、帰還してはいけないのではないかと思うんです」と話してくれました。廃炉作業中の原発に何かが起きた時に、今帰還している人たちは安全なのかということを、北村さんは心配しています。

「忘れてはいけないのは、現在も多くの人たちが、廃炉作業に、日夜携わっていることで、それによって僅かな安定が保たれていることは事実です。避難指示が解除された地域には帰ってもいい、と行政は促します。双葉町の町長の公約は、県内(避難者)も県外(避難者)も、平等に、というものでした。実際には、戻る人や、移住してくる人には手厚い支援がありますが、帰りたいのに帰れない人に、支援が行き届いているのだろうか？　という疑問があります」

町に戻ると、きれいな復興住宅が用意されています。見回る町役場職員も県内のほうが多いくらいです。県外にはまとまって町民が住める仮設住宅がつくられることはありませんでした。

北村さんは、風化を止めるために、ラジオ出演だけではなく、各地で「あの日を忘れない」をテーマに講演、そして、大学で出前授業なども行っています。

「それに触れない」という空気

櫻井さんはラジオ番組内で北村さんをはじめ、一八人の人たちから話を聞き続け、「もっと早く知りたかった。知っていたら、自分にも、できたことがあったかもしれない」と話してくれました。小学生の時にも中学、高校の時にも、原発事故について学校で教えてもらうことはほとんどなく、知る機会がなかったと言います。その一方で、櫻井さん自身も当事者なのです。

例えば、原発事故当時、〇歳から一八歳だった子どもたちは、小児甲状腺《こうじょうせん》がんの検査を続けています。櫻井さんも学校でその検査を受けていました。学校から集団でバスに乗って病院に行き、「何かあったら怖いな」という気持ちを抱いていたと言います。放射能の被ばくが、甲状腺がんのリスクを高めているということも詳しくは知らされてはおらず、漠然とした不安があったと言います。暗黙の了解のように「それに触れない」というタブーの空気があったのかもしれないと櫻井さんは思い返しています。

ラジオのパーソナリティとなった櫻井さんは、やりたいことが見つかったと言います。一人一人の抱えている思いをないがしろにしない報道人になりたいという夢です。

「多数派ばかりではなく、少数派であっても、その人が生きられるように、大切にされるべきだ」と避難した人たちから教えてもらったと言います。その人の抱える経験やその意味を知ってもらいたいと櫻井さんは話してくれました。

私たちはずっと居た

事故から一〇年が経ち、『わかな十五歳　中学生の瞳に映った3・11』という本が出版されました。あの日からの日々に向き合い続けてきたわかなさんが読者に問いかける一節があります。それは、大切なことを忘れてしまう人間の性質に気付かせてくれるものです。

3・11で私たちは目が覚めたはずでした。当たり前の生活が奪われ、故郷を失い、死と絶望を目の前にしたはずです。隣の人、親戚の人、知人がまき込まれ、その現実に言葉を失いました。そして、あのとき「何かしなければ」「変わらなければ」「変えなければ」と思ったのではないですか。

しかし、いつの間にかその思いは「絆」や「復興」という言葉で、瓦礫《がれき》や除染された土壌とともに片づけられ、津波のことも原発事故のことも、すべて「過去のこと」としてあつかわれています。毎年3・11がやってくれば、カメラが現地をまわって「これだけ復興した」と言い、被災者の人にインタビューをして、「前に進んでいる」ことに光を当てる。いつの間にか、目を覚ましたはずの人たちは外野でそれを見る側にまわって、他人ごとだと思って再び眠ってしまったのではないですか。

『わかな十五歳　中学生の瞳に映った3・11』(ミツイパブリッシング)

わかなさんは、原発から約六〇㎞の伊達市から家族で自主避難し、現在は北海道に住んでいます。わかなさんが指摘するように、希望の物語は報道されやすいのです。今なお被害は続いていますが、そういった報道はほとんどされません。「終わったこと」にしたほうが、みんなが安心するからでしょうか。あるいは、「何もできない自分」に対する罪悪感を忘れられるからでしょうか。

わかなさんの書いた本を読み、ごめんなさい、という言葉が口から出ていました。すべては大人の責任だと思っていたからです。自戒のためにも、この本は、いつも私の手の届くところに置いてあります。大人もまた、「何もできない自分」に向き合い続けるしかないのだと思います。それでも、そばにいたい、考え続けたいと思うことでしか、わかなさんの「変わらなければ」に応えることはできないのだと思います。

震災から一〇年を経た頃、「語り始めた子どもたち」という謳《うた》われ方で、子どもの経験を聞く講演や記事などが出るようになりました。わかなさんは「語り始めた」のではなく、私たちはずっと居たんだ、と指摘していたことがあります。本当にそうだな、と苦しくなります。きっと、原発事故という、大人も受け止め切れないほどの出来事を、小さな体で耐え続けた子どもたちが、今も、全国にたくさんいるのです。

8章
甲状腺がんに罹患した子どもたち
──「誰にも言えずに」「当事者の声を聞いて」

油井川(二本松市)

二〇二二年一月、東京電力福島第一原発事故当時、福島県内に住んでいた当時六歳から一六歳の甲状腺《こうじょうせん》がんに罹患《りかん》した子どもたちが原告となり、甲状腺がんは原発事故の影響だとして、因果《いんが》関係を明らかにするよう、東京電力(以下、東電)を提訴しました。同年五月に、裁判の第一回期日を迎え、その裁判が続いています。事故後一一年を経て初めて、放射線被ばくの影響について東電を訴える集団訴訟でした。

原告の全員が甲状腺の摘出手術をし、六人のうち四人は再発し、二回以上の手術を受けています。全摘した四人はホルモン剤を一生飲み続けなくてはなりません。また、肺への遠隔《えんかく》転移を指摘されている子どももいます。

原告の一人で、「誰にも言えずに苦しんできた」と明かしてくれた向井紗和さん(事故当時一五歳・仮名)に会う日、私はとても緊張していました。天気の良い日だったことは覚えていますが、待ち合わせの場所に着くまでずっと「どんな顔をして挨拶をしたらいいんだろう」、そんなことばかり考えていました。真っ先にあったのは、「こんな目に遭わせて、本当にごめんなさい」という大人としての思いです。それは今も変わりません。

地震のあとの荒天

向井さんは、運動が好きな元気な子どもでした。中学三年生の卒業式の日に被災。地震直後に吹雪《ふぶき》になり、その後、急に晴れた空が不気味《ぶきみ》だったと思い返しています。

この吹雪のことは、これまで私がお話を伺ってきたたくさんの人が、話をしてくれていました。一〇〇〇年に一度の地震と言われるほどの揺れのあとの、突然の荒天は「恐ろしい」「おかしい」「この世界はどうなってしまったのだろう」などと思わせるものだったそうです。

翌日、向井さんは地震で全壊した親戚の家の片付けを手伝っていました。その親戚の家の前の道路は、西に向かう車で渋滞していたことを覚えていて、「普段は車が多くない道なので不思議でしたが、あとから考えたら避難していた車でした」と話してくれました。浜通り(太平洋側)から新潟(日本海側)、関東方面へと、たくさんの人々が移動していた頃です。

午後、無事だった離れの部屋にいた祖母が「原発が爆発したみたいだよ」と教えてくれました。雨も降り始め、両親は「紗和はもういいから、おばあちゃんと家の中にいて」と言いました。その後、両親はチェルノブイリ原発事故の話を教えてくれました。放射性物質が飛んできたら、健康被害があるかもしれない。食べ物にも気をつけたほうがいいと聞かされたと言います。

一二日に一号機が爆発、一四日に三号機が爆発、二号機が危機的状況に陥り、一五日には四号機も爆発しました。その翌日の三月一六日は、福島県の県立高校の合格発表でした。向井さんは、母親が「今日は行かないほうがいい」と心配したため、友だちと行く予定を取りやめ、電話で合格を聞いて、後日、必要な書類などを取りに行ったといいます。しかし、福島県内の多くの中学三年生が、自分の番号を確認するために受験した高校へと出かけました。

新型コロナ禍の、学校の一斉休校のことを思い出すと、原発が県内で立て続けに爆発したばかりでの合格発表は、なぜ行われてしまったのか、今となっては心底、もどかしく思います。子どもたちが被ばくする可能性がある中での合格発表には反対した教職員もたくさんいました。校長に直談判《じかだんぱん》に行った教師、会議で「中止してほしい」と訴えた教師、仲間に声をかけ、中止にするように教育委員会に電話をかけた教師――みな、子どもたちを屋外に出さずに済むよう、必死でした。しかし、県は合格発表を決行してしまいます。

この頃、テレビやラジオでは、放射性物質を防ぐために、屋外に出る時にはレインコートを着て、マスクや帽子を着用し、部屋に戻る時には玄関でそれを脱ぐようにといったアドバイスもされていました。原発事故の影響が福島県全域、それを超えて覆っている可能性を、多くの人は知っていたのです。

甲状腺がん裁判の弁護団長の井戸謙一弁護士は、「クラブ活動を通常通り行っていた話や、三月一六日の県立高校合格発表に出かけてしまった話もよく聞く。政府は、原発事故による健康被害はないと決めつけているが、決してそうではない」「事故当時、被ばく防護できなかった小学生や中学生が被ばくしてしまい、罹患に至ったのではないか」と、指摘しているのです。

四月から向井さんは晴れて高校生になりました。高校生活の中にも、被ばくのリスクは潜んでいました。運動が好きだった向井さんでしたが、入部しようと思っていた屋外競技の部活を諦めました。できるだけ被ばくをしないようにね、と母親が心配していたからです。

校内のホットスポット(放射線量が局所的に高くなった場所)にはポールが置かれて、立ち入りが制限されていましたが、慣れてくると、その近くをみんなが通過するようになりました。内部被ばくを避けるためのマスクも、しだいに誰もつけなくなります。向井さんはクラスの中でも、最後までマスクをつけていましたが、その年の夏には、暑くて外すようになりました。原発事故直後の福島県内でも、マスクをしたほうがいいという説と、「政府が大丈夫と言うのだから、大丈夫だ」「マスクするのは気にしすぎだ」と、日常通り過ごす人とで、判断が分かれていました。

当時、学校の校庭は、文部科学省が毎時三・八マイクロシーベルト以下で利用するという基準を設けていましたが、測定をしていた教師が「あ、超えてる、ま、いっか」と話していたのも聞いたことがあったと言います。プールの授業は、一年目は中止になりました。プールサイドの放射線量が高かった時期です。除染《じょせん》が終わり、二年生からプールの授業は再開されましたが、放射線量が下がりきったわけではありませんでした。

向井さんの自宅の放射線量も高くなっていました。測定器を購入して測ると、事故前の一〇〇倍以上の放射線量の場所もありました。室内でも事故前の六〇倍以上の数値。自治体が行う除染の順番は、すぐには回ってきません。家族が高圧洗浄機で除染したものの、それほど下がりませんでした。

向井さんは運動部に入れなかった分、学業に力を入れ、東京の大学を目指していました。その甲斐《かい》あって、晴れて推薦で合格。「嬉しくて、一足先に、三月初旬から東京生活を始めていました」と向井さんは笑顔で話してくれました。それほど、東京での生活を楽しみにしていたのです。

異変

東京には遊ぶところもたくさんあり、バイトも始め、向井さんは新生活を楽しんでいました。ところが、ある時から、体調に異変が起き始めます。体がむくみ、生理不順、体重の増加、肌荒れ。そして、水やつばを飲み込むと喉《のど》に違和感がありました。母親に相談すると「甲状腺系の病状かもしれないから、早めに検査しよう」と言われます。

福島県が行う甲状腺検査の二回目を、向井さんは受けそびれていました。すぐに福島に戻り、甲状腺検査の大規模会場で他の子どもたちと一緒に受検します。他の人は短時間で終わっていましたが、向井さんのところで、ふいに流れが止まりました。エコーをあてながら、医師が首をかしげるのを見て、「何かあったのかな」と向井さんは感じていました。

その後、結果が実家に届き、母親から「再検査」の連絡が入りました。しかも、福島県立医大からは二回も電話がかかってきて「すぐに再検査をしてほしい」と言われます。その頃には、向井さんは「自分は甲状腺がんかもしれない」と薄々感じていたと話します。

二〇一五年の秋、原発事故から四年後に、向井さんは写真を見せられながら、甲状腺がんを告げられました。この時、二言目に「原発事故と因果関係はない」と医師に言われたことが向井さんは忘れられないと言います。

「(関係ないと)どうしてわかるのだろう、と思いました」。

その後、向井さんは、甲状腺がんに罹患していると知りながら、通常通り大学の授業を受け、学期末のテストを終えた日にすぐに入院し、甲状腺の左半分を切除する手術を受けました。一九歳でした。手術後、体調を考慮して楽しく働いていた飲食店のアルバイトを辞めざるを得ませんでした。大学卒業後は、憧れの職業に就いたものの、激務で体調が悪化したために、そこも辞めざるを得ませんでした。今は身体に負担の少ない仕事をしています。数値が悪くなれば、服薬も再開しなくてはならない状況の中、常に体調を気にしながら生活をしています。それでも、向井さんは自分のことではなく、「私より年齢の低い他の原告は、もっとたくさんの諦める選択をせざるを得なかった人がいるんです」と、話すのです。

大学を退学した人、就職ができない人、恋愛も結婚も諦め、人を好きになることも考えられないと打ち明けてくれた原告がいたことに、心を痛めていました。そして、「他の、小さい子どもたちが、声をあげられない状況があります。今回、私たちが声をあげることで、他の苦しい人たちが、声をあげられる状況になってほしい」と話してくれました。

小児甲状腺がんの発症は一〇〇万人に一人か二人といわれていますが、福島県では、県の調査約三八万人のうち、穿刺《せんし》細胞診で悪性疑い(がん)と診断された三一六人(二〇二三年七月二〇日現在)と、それ以外の集計の四三人を合わせて三五八人が甲状腺がんと診断されています。前出の井戸弁護士も、「今の福島県では、甲状腺がんに罹患したことは、センシティブな問題として、口にできず、孤立してしまう状況がある」と語っています。

向井さんもこれまで、自分が甲状腺がんになったことは、周囲の親しい人にしか話せずにいました。しかし、提訴したことで、変化もありました。「約二〇〇〇人の人がこの裁判に寄付をして、応援メッセージを寄せてくれたことが、すごく嬉しかった。他の原告も喜んでいました」と笑顔を見せてくれました。差別されるのではないか、理解されないのではないか、という不安が少し和らいだとも話します。

しかしその一方、提訴と同じ日に、小泉純一郎、菅直人《かんなおと》氏ら首相経験者五人が、「多くの子どもたちが甲状腺がんに苦しんでいる」という書簡を欧州連合(EU)の執行機関・欧州委員会に送ったことに対して、現職国会議員や、内堀雅雄県知事が「誤った情報」「不適切」「遺憾」などと抗議をしたのです。向井さんは、そのことに戸惑ったと言います。

「そこまでするんだ、という驚きと、憤りの気持ちがあります。私だけではなく、他の原告やその家族も同じように、怒りを感じていました」と。現実に、甲状腺がんに罹患した子どもたちがいるのに「誤った情報」「不適切」「遺憾」という言葉が、どれほど当事者を傷つけたか、想像が及びません。その出来事によって、「簡単にはいかないのだ」と感じた向井さんは、専門家の勉強会に参加したり、訴状を読んだりしながら、原発事故と甲状腺がんの因果関係を考え続けています。

「原告の中にも、精神的に苦しんでいる人もいて、どうにかしなくては、という思いが強まりました。私は、(事故と甲状腺がんの)因果関係はあると思っています。一人の力では敵《かな》わないけれど、原告や弁護団と協力しながら、裁判を闘っていきたいです」と、向井さんはまっすぐな目で、そう話してくれました。

「誰にも言えなかった」

この裁判の第一回の口頭弁論は、二〇二二年五月に開かれました。二二六人が傍聴券《ぼうちょうけん》を求めて列をつくり、その人数からも、注目度の高さが示されていました。裁判が始まって冒頭に、原告側の代理人、河合弘之弁護士は、「本来であれば一〇〇人超の訴訟が起きてもおかしくない」と意見を述べました。

向井さんが「誰にも言えなかった」と話してくれた通り、福島県内では、被ばくによる健康影響について意見が分かれ、自由にものが言えない空気があります。甲状腺がんに罹患した子どもたちは、家族にだけしか言えない、という人も多いと語りました。それらは、政府と福島県の「原発事故による健康影響はない」といった広報のせいであると、河合弁護士は指摘し、甲状腺がんであることを誰かに告げても、「復興の機運を妨げるもの」と扱われてしまうつらさを裁判官に訴えました。「健康影響はない」と決めつけられてしまうことは、たくさんの人の思いや言葉を封じてしまいます。

また、原告側の熊澤美帆弁護士は、原告らがどのような損害を負ったかについて、説明しました。

長い針をのどに刺す「穿刺細胞診」の恐怖、放射性物質を体内に取り込み、内側から治療する「アイソトープ治療」における隔離生活の孤独、進学や就職などの将来設計ができないこと、生涯続く体調不良、再発や転移への不安、恋愛や結婚、出産を思い浮かべることができないこと、住宅ローンが組めないかもしれないという不安、「自然な妊娠や出産は難しい」と言われたこと、家族の苦しみ、そして社会からのバッシング――。

「人生の夢をあらかじめ奪われ、人生を制限されながら生きていかなくてはならない原告の苦しみを知ってほしい」と、熊澤弁護士は、裁判官の目を見て訴えていました。

甲状腺がん

子どもたちの甲状腺がんは、原発事故とは因果関係はないと国や東電、福島県は言いますが、本当にそうなのでしょうか。

この裁判では、被告である東電は、原発事故後に、甲状腺がんに罹患した子どもの割合が数十倍上昇したことについて、「事故以前に、甲状腺検査のような検査をたくさんの子どもたちに実施しなかったが、事故後にたくさん検査をしたから見つかってしまった」と主張しています。つまり、見つけなくても良かったもともとあった「潜在がん（生涯にわたって健康には影響せず無症状のがん）」を見つけてしまったのだ、という意味です。

「潜在がん」とは、簡単に言えば、ほっといていいがんのことです。福島県立医大の手術の執刀医である鈴木眞一氏は、手術された症例数一二五例のうち、七七・六％でリンパ節転移が確認されたことを日本内分泌・甲状腺外科学会雑誌に報告しています。転移や浸潤《しんじゅん》（まわりの血管や、リンパ管の壁を破り、がん細胞が全身に流れて転移・再発を起こす可能性がある）を起こしている患者が多数いる、つまり、生涯にわたって無症状であるはずの「潜在がん」ではないと、原告側は反論しています。

原告七人について、統計学的、疫学的知見に基づいて、被ばくと甲状腺がんとの関連性は、

「非常に高い(原因確率九九・三〜九四・九％)」ということも、原告側は示しています。

当初、六人だった原告は、のちに一人増えて、七人になり、今も裁判を闘っています。向井さんは「私たちが声をあげることで、他の人も声をあげられる状況になってほしい」と何度も話してくれています。周囲に苦しさを言えず、孤独の中で甲状腺がんと闘ってきた向井さんの、実感のこもった言葉だったと思うのです。

「知ってほしい」という思い

二〇二一年五月、甲状腺がん罹患当事者としてはじめて顔を出して、実名で記者会見に臨んだのは、林竜平さんでした。当時、二〇歳。林さんは、NPO法人「3・11甲状腺がん子ども基金(以下、基金)」という団体の支援を受け、そこでのつながりから、「知ってほしい」という思いで基金の開いた会見に出席したのです。基金では、甲状腺がんに罹患した子どもたちに給付金という形で支援をしています。これまでに支援した人数は、福島県内で一四一人、福島県外では七四人です(二〇二三年一〇月現在)。支援を受けた甲状腺がん患者のアンケートをまとめた報告書には、やはり「語れない」「相談できない」という声がたくさんありました。

原発事故当時一〇歳だった林さんは、原発事故は「大変だなぁ」という感覚で見ていたと言います。福島県中通り（避難指示のなかった地域）の小学校に通っていた林さんは、給食の牛乳を飲まない子、避難をしていった子などがいたことを覚えているそうです。小学校六年生の時に最初の甲状腺がん検査を受けました。その時には全く所見のない「A1」判定。その後、中学校二年生の時に「A2（結節がひとつ、五・〇㎜）」という診断を受けました。そして、高校一年生の秋に、「B」判定を受けたのです。

「今思うと、震災の頃から、体調不良だったのは、鬱《うつ》っぽかったのかもしれない」と林さんは思い返しています。ちょっとした音にもビクッとするなど、地震の影響か、過敏になっていました。そのためか、中学校からは不登校になり、気力が湧かない時期の甲状腺がんの「B」判定でした。「めんどくせーな」としか思わなかったと言います。二次検査を受け、母親だけが呼ばれて告知されました。林さんが部屋に入った時、母親は泣いていたと言います。

この時のことを、林さんは、こんなふうに話しています。

「スマホで予後や生存率などを意外と冷静に調べていましたが、いま思うとがんが怖すぎて、怖すぎたからこそ一周まわって冷静になったという感じでした」。

その日のうちに手術をすると自分で決めました。「経過観察もできるよ」と言われましたが、声帯に近く、声が出なくなる可能性があると言われ、それが嫌だったので手術を即決したのです。当時は、原発事故との因果関係よりも「命が助かってほしい」ということが真っ先に頭にあったと言います。現在は、原発事故と自分の甲状腺がんは「何かしら関係はあるのでは」とは思うものの、そこに強い関心はないとも話します。それよりも、「手術して〝生きている〟」ということのほうが大事だと林さんは力をこめていました。

顔を出して、しかも実名で自身の経験を伝えることを始めた理由を尋ねると、こんな答えが返ってきました。

「早期発見と手術があって、自分は今しゃべることができています。しなくていい経験だったけれど、一貫して思うのは、早期発見と早期治療への感謝です。幅広い討論につながってほしい」と。だから「(顔も名前も)隠すことはないと思いました。抵抗もありませんでした」と言います。林さんは「語れること」を強調していました。「忘れ去られるのが一番悲しい。ありのままを報道してくれれば、当事者も話しやすい」と林さんは言うのです。

また、「医療、心理、福祉、人権などいろんな専門家が連携・協力して、行政にも当事者の声をきいてほしい、我々をしっかり見てほしいと思います」と、林さんは話していました。公表してからは「記事を見たよ」と親戚などが好意的に声をかけてくれるようになりました。

高校の担任の先生からも「見たぞ。大変だったな、よくここまでやったな」という反応がありました。母の友人からも「頑張っているね」と言ってもらったといいます。

震災から一二年を経て、「風評加害」という言葉がSNSなどで使われています。これは、放射線に対する不安を「風評」だとして、不安を抱く人たちに「風評加害者」とレッテルを貼り、口を封じかねない言葉です。甲状腺がんに罹患した人に対してまで、「風評加害」、つまり、原発事故によって甲状腺がんに罹患したということが、「風評(嘘)」かつ「風評をばら撒《ま》く加害者」として、その言葉が使われていることを前出の井戸弁護士も懸念していました。林さんは、それに対し、「「加害者」と言われるのは嫌だし、甲状腺がんについて、好きにしゃべらせてほしいとは思います」と苦笑いをしていました。「自分の経験を、広く発信して考える人を増やしたい」という思いを強く持っていた林さんの、本音の言葉だと思います。

しかし、なぜ、子どもたちが甲状腺がんに罹患し、そのことだけでも深く苦しめられる事実があるのに、「風評」として責められなくてはならないのでしょう。被害者が口を封じられ、被害が隠されている様は、たとえば水俣病でも同じことが起きていました。

「外側の復興は進んでいるようだけれど、内側の復興はまだまだだろうし、何十年も時間がかかるものだと思います。今は、まだそんな段階だと思っています」。

林さんのその言葉にも、公害の歴史に通じるような長い時間、これからの未来が示唆《しさ》されているようにも思いました。

9章

区域外避難者たちの苦難

――住宅供与の打ち切り

秋元湖(猪苗代町)

住宅支援の打ち切り

これまでの章でもお伝えしてきた通り、福島県民の原発避難には、大きく分けて二つのケースがあります。大熊町や双葉町等のように原発からの距離が近く、放射線量が高い(年間二〇ミリシーベルトを超える)という理由で強制的に避難させられたケース。もうひとつはそうした政府からの避難指示を地域として受けてはいないけれど、放射性物質の飛散があったために事故前よりも放射線量が上がり、避難を選ばざるを得なかったケース。後者を「区域外避難者」と呼び、その人々の暮らし、特に住まいについてこの章では追っていきたいと思います。

事故が起こった後、政府による避難指示がなくても、特に被ばくについて心配した多くの方たちが、県外へ出ました。区域外避難者には、当初、災害救助法に基づく住宅の無償供与がありました。また、一部の地域にはごくわずかな東京電力からの賠償もありましたが、しかしそれは日々の生活を支えられる額ではありませんでした。「区域外避難者」の中には、仕事のある夫を地元に残して母子で避難をした人も多く、そのため二重生活を強いられました。その生活費を捻出《ねんしゅつ》するのは、ほとんど賠償のない中では容易なことではありません。

それでも色々な苦労をひとりひとりなんとか乗り越え、避難先での生活がいくらか落ち着き始めた二〇一七年三月、区域外避難者への住宅供与が福島県によって打ち切られました。それは「避難先の住まいから出て行きなさい」という通告でした。福島県は、「県内での除《じょ》染《せん》の進捗《しんちょく》や食品の安全性の確保など、生活環境が整いつつある」として、「災害救助法」に基づく無償での住宅支援を終了することにしたのです。その当時、対象者は、福島県内外に約一万二〇〇〇世帯、約三万二〇〇〇人にのぼりました。

読者の中には「原発事故から六年経っていたなら、もう避難は終わっていいのではないか」と思う人もいるかもしれません。しかし、原発事故から地域を回復させるのには、自然災害とは違う困難が伴います。それは、時間がかかるということです。放射能汚染は、たとえばセシウム137について考えるだけでも、半減期は約三〇年です。

また、今の住まいを奪うことは、六年かけて築いた新しい土地での暮らしを再び奪うことでもありました。すでに新しい土地で仕事を見つけたり、学校に慣れたり、地域とつながりが深まったりしている人もたくさんいました。しかし、それは住宅支援があって成り立っている生活とも言えました。多くの人が、もはや原発事故を自然災害に対応する「災害救助法」で対応するのには無理があるのではないかと思うようになっていました。だからこそ、「子ども被災者支援法」が成立しました。しかし、その法律も骨抜きにされてしまったのです(次章でふれます)。

原発事故による区域外避難者にはごくわずかな賠償しかない、あるいは全くない場合が多く、そのため避難生活にかかるすべての経済的な負担はそれぞれが何とかするしかないと書きました。例えば、郡山市から避難してきたAさんは、当時三歳だったお子さんを筆頭に母子四人でさいたま市内にある築四〇年の国家公務員の官舎に落ち着きました。とても古く、自ら住みたいと望む場所ではなかったもののほかに選ぶこともできず、一二年を経た今も住み続けています。子どもたちも今ではその環境にすっかり慣れているそうです。夫は仕事の関係で郡山市に残り、休みの日には母子の元へと駆けつけていますが、病も抱えているうえ、二重生活で、すでに経済的な負担もかさんでいます。これから退去して、新しい家の家賃を払って避難を続けることは難しい状況にありました。しかし、「避難先を出られないなら、家を売れば」と県の職員にも言われてしまうこともあったそうです。

また、いわき市から、単身で都内に避難をしたBさんも、福島県で働いていた工場が被災によって閉鎖され、再開の見込みがなかったため、仕事を求めて県外へ出ました。県外の避難先でも仕事がなかなか見つからず、それまでの貯金を切り崩して、生活をしていました。先行きの不安もあって体調を崩し、その後、重い病気になってしまいます。そのため家賃が比較的安い公営住宅に申し込もうとしましたが、単身者の場合は申し込みができないところが多いのです。そうすると、民間賃貸住宅しか選択肢がないのですが、仕事についていないBさんには家賃が払えないところばかりでした。

Aさんや Bさんのように、多くの区域外避難者にとって、避難住宅の無償提供は、生活の基盤を支えるものでした。しかも、区域外避難者は、国や自治体からの経済的支援からも外されていた人ばかりでしたので、避難住宅の無償提供は唯一の経済的支援でもありました。

福島県が住宅支援打ち切りの四カ月前(二〇一六年一一月一五日)に発表した、二〇一七年四月以降の「住まいに関する意向調査」では、次のような結果が出ています(東洋経済オンライン/二〇一七年一月二日)。対象となった一万二二三九世帯のうち、①四月以降の住まいについて「未確定」が一〇三八世帯(全体の八%)、②「避難先で避難継続」を望む世帯が三八一四世帯(全体の三一%)、つまり四〇%弱の人が、住まいの確保が難しかったり、新しい住まいを望んでいないということがわかっていたのです。そもそも、その半年前の二〇一六年六月の段階で発表された「住まいに関する意向調査」では、七割以上の人が、打ち切り後の住まいが決まっていないこともわかっていました(第一九二回国会における「自主避難者への住宅支援に関する質問主意書」本村賢太郎・衆議院議員(当時))。つまり、半年の間に、多くの区域外避難者が必死になって、なんとか次の住まいを探していたことがわかります。

八割近くは四月以降の住まいを確定・移転・ある程度確定させていたものの、新たに家賃が発生することによってどれほど経済的負担が増えるのか、については、県は把握しようとしていませんでした。とはいえ、多くの人々が困窮するであろうことは、予測がつくことでした。その打ち切りから五年たった二〇二二年一〇月七日、国連に設置されている、「人権並びに基本的自由の促進・擁護に責任を有する国際連合人権理事会(以下、国連人権理事会)」の「国内避難民人権特別報告者」であるセシリア・ヒメネス=ダマリー氏は日本政府に対し、「特に脆弱《ぜいじゃく》な立場にある国内避難民に対して移住先を問わず住宅支援施策を再開することが推奨される」と調査終了報告書に記しました。

なぜ国連から日本政府は勧告を受けたのでしょう。この勧告を受けた時、無償供与打ち切りから五年、原発事故から一一年もの時間が流れていました。それは、ある裁判が起こされたからです。裁判の原告は、福島県、被告は区域外避難者の方々です。区域外避難者が、無償提供されていた住宅のうち、特に「国家公務員住宅」に割り当てられた避難者に福島県が明け渡しを請求する裁判でした。

もともと「国家公務員住宅」は国の持ち物で、災害発生時に避難先自治体に無償での使用が許可される国有財産法規定によって供与されます。福島県は打ち切り後の二〇一七年四月から、全国の国家公務員宿舎の使用許可を得ていました。また、提供期間は被災県（＝福島県）が決める、という通知が出されていました。

けれども福島県は、国から「また借り」をしている「国家公務員住宅」から区域外避難者を「追い出す」裁判を始めました。区域外避難者は、住む場所を自ら選んだわけではありません。そもそも原発事故さえなければ避難をしなくて済んだのです。しかし避難せざるを得なくなって、そうして避難した先がたまたま「国家公務員住宅」だったのです。

裁判の中で、福島県は、借上住宅（国家公務員宿舎等）から出て新しい住まいを探す人の相談にのったり、または支援をしたりしたと主張します。しかし退去しなかった場合には、居住者に二倍の家賃の請求をしたり、その避難者の親族宅を訪れ「出ていくように説得してほしい」といった要請もしていました。そうして避難者に退去を促しました。しかし、促された側からしたらどうでしょう。先ほどの調査結果を見てもわかるように、住宅の無償供与が打ち切られたら住む場所がない、もしくは生活がままならなくなってしまう人が多くいました。そしてどの人も福島県に戻る選択はできない人たちでもありました。

こうした現状を踏まえ、国連人権理事会ではこの無償住宅供与の打ち切りは、国内避難民の権利に関わる問題として議論され、調査報告が出た後も日本政府に対して、避難者への支援を継続すべきだと勧告していました。つまり国際的な見地からも、区域外避難者の人権を侵害するものだと指摘しているのです。

長期的な住宅供与の要望

原発事故によって避難した区域外避難者の多くは、二〇一三年以降は、住宅の無償供与を打ち切られる日が来ませんようにと、毎年、契約更新日が近くなると祈るように願いました。というのも災害救助法に基づくみなし仮設(借上住宅)については、「供与期間は原則二年で一年ごとに更新」する決まりで、二〇一四年からは、「一年ごと」の更新だったからです。「来年もここに住めるのか」ということを毎年ハラハラして待つ生活でした。それは、どれほど不安で心細いことだったでしょう。

そうでなくても自主避難の場合、さまざまな負荷が当事者にかかっていました。せめて住宅だけでも保障されていたら、一人一人の安心感は違ったのではないでしょうか。

そのため、「一年ごとの更新をやめ、長期的に住宅供与をしてほしい」という内容の要望を避難者支援団体が国(復興庁)や福島県、避難先自治体に出したり、日本弁護士会やその他地域の弁護士会からも同様の意見書が国(復興庁)や福島県に対して出されたりしました。またこの問題について、「自主避難者の暮らしを守る必要がある」と、前述の通り、国会や、あるいは避難先での自治体の議会で、質問する議員もいました。さまざまな人がさまざまな場所で、原発事故特有の「長期」かつ「広域」避難の住宅供与の仕組みが必要だと、指摘してきていました。しかしその仕組みは、いまだ宙づりになったままなのです。

避難の協同センター

二〇一六年七月、「避難の協同センター」が立ち上がりました。住宅打ち切りが実施された後に生活困窮が見込まれる避難者の相談等を目的としてつくられた団体です。その事務局長として奔走してきた瀬戸大作さんは、住宅打ち切りを目前に控えた頃、母子避難した母親に「これから死のうと思っている」と告げられたことで、支援団体が必要だと考えたのです。

瀬戸さんは、多くの避難者から慕われています。センターの創立目的の通り、困っている人のところに駆けつけ、住まい確保のために奔走してきました。特に住宅無償提供打ち切りが発表されてからは、「これでは路頭に迷う避難者や自殺者が必ず出る」と心配し、精力的な活動を続けてきました。

区域外避難者は、全国に散らばっていました。避難者に対し、東京都、新潟県、山形県が避難者に行ったアンケートでは、その苦しい生活が浮き彫りになりました。例えば東京都が二〇一七年五月に発表したアンケート調査では、月収が一〇万円以下の世帯が二二%、二〇万円以下の世帯が過半数に上っていました。これでは、生活はできません。また、早稲田大学の辻内琢也教授によると、首都圏に避難した原発避難者の四割以上がＰＴＳＤのおそれがあるということも明らかにされています。

住宅供与が打ち切りされたあとの五月には、瀬戸さんが最も恐れていたように、東京都に避難していた母親が自死するという事件も起きてしまいました。避難先で二人の子どもの大学進学のためダブルワークをこなし、必死に生きてきた方です。瀬戸さんや避難の協同センターのメンバーは、毎年、この日に花を持って現場を訪れています。

打ち切りから一年後に瀬戸さんが助けに向かった避難者の中には、所持金わずか五円という状態で生活していたという男性もいます。その方は、代々木公園で生活をしていました。

行政に助けてもらおうとしても、瀬戸さんのような、支援者の同行がないと、窓口で対応してもらえないことが多いのです。避難者は福島県や避難先自治体の支援施策だけではなく、既存の、さまざまな公的支援制度について知っているとは限りません。ましてや地元を離れて、周囲に知っている人もいなければ助け合うことも、知恵を出し合うこともままなりません。そのため本来受けられる支援があっても、気がつかないこともあるのです。長い間、貧困問題に取り組んで、生活支援活動を行ってきた瀬戸さんだからこそ、困窮した原発避難者にも寄り添うことができました。

県外だけではなく、県内にも困窮した人がいました。二〇一七年八月には、福島県南相馬市の帰還困難区域の洞窟《どうくつ》で生活をしていた避難者の男性も発見されています。その男性は、放射線量の高い地域で、「キノコ、山菜、川魚」を食べて、内部被ばくもしてしまっていたと報道されています(『朝日新聞』二〇二〇年四月二一日付)。

瀬戸さんは、「避難をしている人の中でも、単身世帯と母子世帯が苦しい。日本社会の貧困世帯と一致するんです」と指摘しています。また、「自立の強制、公平性を盾にした切り捨てはおかしい」と主張します。いつもにこにこして穏やかな瀬戸さんですが、行政との交渉の場面では、「原発事故の被害者に、避難先での困窮を「自己責任」と片付けるのはおかしい」と憤りを見せるのです。

避難の協同センターは、瀬戸さんを中心に、丁寧な居住支援を行い、生活の厳しい避難者には緊急給付も行っていました。福島県も「入居支援をしていた」「相談に応じていた」というのですが、参加した人の声を取材すると「不動産会社を紹介するだけだった」「その不動産会社からは、ボロボロのアパートしか紹介されなかった」「形だけ「やりました」という状態でした」という話もありました。そういう対応をされたことによって、区域外避難者の中には福島県が呼びかける相談会に行かなくなる人もいました。こうした状況の取材を続けている中で、「国は私たちを守ってくれると思っていた」と話していた区域外避難者の母親のことも思い出しました。

「原発事故の問題は冷たい社会だということをあらわした。貧困問題に向き合わない社会は原発避難者を救わないんだなと思った。一番傷ついている人の目線に立って、社会づくりをすることが、本当に求められているのにね」と瀬戸さんは一貫していました。

「貧困は、優しくない社会の結果だよ」と、瀬戸さんは言います。助けるはずの行政が避難者を見捨てても「大丈夫だよ」「一人じゃないよ」と声をかけ続けています。

誰の目線に立つか

退去できない区域外避難者の中にも、次の住まいを見つける努力をしている人はたくさんいました。特に避難を継続したい場合や帰還する場所がない場合には、避難先で次の住まいを探すしかありませんでした。また探すにしても、子どもの学校、仕事場や通院先との関係を考慮して見つける必要がありました。

都市部で家賃が高額な場合は、低廉な家賃の公営住宅に入居したいと考える人が数多くいましたが、「入居要件」によって、あるいは抽選に落ち続けて、なかなか次の住まいが決まらない人もいたのです。

避難の協同センターの熊本美彌子さんは、「一六回も都営住宅の申し込みから落ちた男性もいるんです。その方は、障害者手帳も持っていて。大変だったと思います」と教えてくれました。そして、その男性はなかなか転居先が見つからず、福島県から、裁判で明け渡しと損害賠償を求められているのです。

支援に回っている熊本さん自身も田村市からの避難者です。夫と二人「定年後は田舎暮らしをしよう」と土地を求め、本格的に住み始めて八年が経った頃、原発事故が起きました。原発事故前は、川も林も野原もあるほどの広い敷地を手作業で開墾《かいこん》し、畑をつくり、土をつくり、農作物を試行錯誤しながら育てていました。無農薬で野菜を育て、知人や親戚に配ると、パンやソーセージになって戻ってくる、「物々交換の暮らし」と熊本さんは笑顔で話します。農作業を手伝ってもらうと、そのお礼に囲炉裏《いろり》で歓待するような、のどかで思い描いていた暮らしでした。先に田村市で生活を始めていた夫が二〇〇七年に亡くなってからも、近所の人に助けられながら、暮らしを工夫しながら、犬と一緒に暮らしていたと言います。

原発事故が起きた時、少し高い場所にある自宅から国道が見え、避難する車列や、サイレンを鳴らして走る緊急車両が見えたそうです。三月一四日に、東京に住む息子と電話がつながり、「避難してきて」と言われ、一五日、福島空港から羽田空港に犬とともに降り立ちます。田村市は原発から二〇～三〇kmほどにあたり、当時、都路地区の一部の地域に避難指示が出ていました。つまり、熊本さんの住んでいる地域は、避難指示が出た地域から数kmしか離れていません。この時、熊本さんは「全部ダメになってしまった」と思っていたそうです。生涯そこで暮らそうと思い、敷き藁《わら》や落ち葉で畑の土を肥やしてきたのに、です。

東京に住む息子のところに身を寄せ、その後しばらくして、三月末に都営住宅に入居が決まりました。息子の家からもそれほど遠くはありません。しかし犬を飼うことはできず、息子の家にお願いし、毎日、避難住宅から一時間かけて息子の家まで歩き、犬の散歩をしていたと言います。

区域外避難者の住宅の打ち切りの際には、熊本さんもその対象になりました。東京都の住宅打ち切り対象避難者は、七一七世帯いました。

打ち切りの前年、東京都は避難者専用枠として都営住宅の募集を二回行いましたが、いずれも雇用促進住宅、民間賃貸住宅の一一五世帯は、募集対象から外され、都営住宅に応募できる世帯は六〇二世帯に限定されました。さらに、収入の上限は一五万八〇〇〇円、単身では六〇歳未満はダメ、家族では一八歳以上がいたらダメ等の要件が細かく設定され、三〇〇戸募集して、一四二世帯しか入れませんでした。中には、せっかく当選しても、子どもの転校や経済的負担などで辞退せざるを得なかった世帯も出ていました。

一方、埼玉県では、条例を改正し、入居要件を撤廃して、誰でも応募ができる公営住宅を五〇戸用意していました。また、県営住宅の区域外避難者特別枠も一〇〇戸用意していました。県の管理以外の市町村会議、宅建協会にも埼玉県独自の方針を伝え、追い出しをできるだけしないように通知し、民間住宅には敷金礼金についての配慮も求めていました。

熊本さんはこの時、六〇歳以上だったので、高齢者枠で応募ができる立場でしたが、「福島県の打ち切りはおかしい」「東京都の方針もおかしい」と思い、抗議するために応募しませんでした。二〇一七年三月がすぎると、やがて東京都から定期的に「期限が終了したから退去してください」「家賃相当の損害金が発生します」という文書が届くようになります。

「住宅の問題は、原発事故の被害を、行政側がどう考えているかという核心に触れる問題なんだと思います。権力側の意志がむきだしになる。そもそも災害救助法が間違っていたと思っていてね。原発被害は、災害救助法ではカバーできないんです」と熊本さんは話してくれました。

区域外避難者への明け渡し裁判は続いています。熊本さんは、今もその支援を訴え続けています。二〇二〇年三月に福島地裁に提訴された裁判は、二〇二三年一月、判決が出ました。「せめて、司法だけは区域外避難者を救ってくれるのではないか」と訴えられた避難者も弁護団も支援者も熊本さんも期待していました。しかし、残念ながら、福島地裁は、福島県の主張を認める判決を出したのです。

裁判は、地方裁判所のあと、控訴すると高等裁判所で審議され、その後も控訴すれば、最後は最高裁判所で終結するという手続き・順番があります。福島地裁の判決のあと、控訴によって仙台高裁で審議されるはずでしたが、いきなり第一回口頭弁論で終結されて議論すらされませんでした。その裁判長の「話を聞かない」かの対応に、法廷はざわつき、怒りの言葉も飛び交ったと熊本さんは言います。

また、福島地裁の判決には「仮執行宣言」がついていました。これは、判決が確定する前でも、執行できる効力を与えるものです。つまり、部屋の明け渡しを強引に行う可能性がゼロではないということを指しています。

熊本さんは、それがこれから、あちこちで行われてしまうのではないかと心配しています。訴えられている人の事情はさまざまで、その中の一人の女性は介護職ですが、腰痛が悪化し、働くことができない状況なのだそうです。熊本さんは「もし、災害復興住宅が、福島県外にも建てられていて、区域外避難者も入居できるような仕組みがあればよかったと思います。原発事故は、自然災害のような時間で落ち着くものではないんです。全国に広がった長期間避難する避難者に対応ができていません」と話してくれました。

福島県内だけにつくられた災害復興住宅は四七六七戸もありますが、実は空室がたくさんあります。もともと整備される数より一一三戸、減らしてもなお、需要がなかったのです。その一方で、県外では住まいを追い出される人がいる。熊本さんは「基本的に、福島県は『帰還する人に手厚く、避難し続ける人は自己責任』という姿勢なんです」と言います。

この裁判で避難者側の意見書を提出した、宇都宮大学の国際学部教授、清水奈名子さんも、意見書の中で「同じ避難者であっても帰還を選択する避難者のみに支援を続けることは、特別報告者（国連人権理事会のヒメネス・ダマリーさん）が指摘したように、帰還を暗黙のうちに強制する措置であるとの評価が成立しうる」と訴えています。

また、「ダマリーさんの報告書は一〇二の段落で構成されていますが、「権利の侵害」という表現をしている箇所は、この立ち退き裁判に言及した第六九段落だけです。いかに報告者がこの裁判の違法性を強く訴えたいと考えたかがわかります。人権理事会の基本的任務は対話と協力ですから「人権侵害だ」とはっきり言うのはよほどの場合だけです。また、自由権規約第一二条に書かれた「移動・居住及び出国の自由」の侵害に至ると読み取れる報告をされたというのも重要です」と、強く批判しています。

瀬戸さんが言うように「一番傷ついている人の目線に立って、社会づくりをすること」ができていたら、きっと、区域外避難者のための災害復興住宅が、避難先の福島県外にもつくられていたのではないか、打ち切りによって追い詰められる人も出ず、こんな裁判など起きていなかったのではないか、と私は思うのです。

10章
原発事故の被害の枠組みを広げる

田んぼの奥に山波が見える(郡山市)

避難の権利

「避難の権利」を確立するために立ち上がった団体、「福島の子どもたちを守る法律家ネットワーク(以下、SAFLAN)」の代表弁護士の福田健治さんは、事故直後から、避難指示のなかった地域、被害の認められにくい問題に関わり続けています。原発事故が起きた時、福田さんは弁護士になって一年半の「若手」でした。

それまでは、東南アジアのメコン河流域の開発や経済協力が、地域の自然資源を生活の糧としている流域の人々の生活を脅かさないように、調査研究や開発機関への働きかけを主な活動としているNGOに勤務していました。この活動の中で、弁護士を目指そうと決め、夢を叶えた矢先だったと言います。事故から二カ月後の五月、NGO時代の仲間から電話がかかります。「せっかく弁護士になったんだから、郡山市・福島市に住む避難したいという人たちに、何か法的な話をしに来てほしい」という依頼でした。

依頼のあった少し前の四月一九日、文部科学省は福島県教育委員会等に「福島県内の学校の校舎・校庭等の利用判断における暫定《ざんてい》的考え方について」という通知を出し、毎時三・八マイクロシーベルト(事故前の一〇〇倍)を下回る学校では平常活動という方針が示されます。この時、内閣官房参与の小佐古《こさこ》敏荘《としそう》東大大学院教授が記者会見を開き、「この数値(年間積算放射線量二〇ミリシーベルト)を乳児、幼児、小学生に求めることは学問上の見地からのみならず、わたしのヒューマニズムからしても受け入れ難い」と声を詰まらせながら訴え、参与を辞任しました。この涙の会見は、テレビでも報道され、多くの人が衝撃を受けました。法令による一般公衆の年間被ばく線量限度は一ミリシーベルト。放射線管理区域(飲食・トイレも禁止されている区域)は年間五・二ミリシーベルトです。しかし、原発事故によって、突然「年間二〇ミリシーベルト」になってしまったのです。「大変なことが起きている」「避難したほうがいい」と考えた保護者もたくさんいました。

五月二三日には、文科省前に福島県からバス二台で訪れた約七〇人の保護者と、支援する市民団体が、「年間二〇ミリシーベルト」を撤回するように訴えます。

六月、福田さんは、避難したくても避難できないという当事者たちに会いに郡山市へと向かいます。

「あの日の郡山の会場は、大きな体育館のようなところでしたが、その会場が、人でびっしり。張り詰めた空気がありました」。

福田さんはそこで、「避難の権利」について語りました。その権利が、どこかの法律に書いてあるわけでもなく、認めた裁判例があるというわけでもなく、今から、私たちが作っていかなければならないものだと説明します。

「被害が重大であるならば、十分な科学的な知見がなくても、きちんと対応をとる」ということを、予防原則と言います。福田さんは、「私たちが今置かれている状況というのは、まさにこの予防原則が適用されるべき場面だと思います」と訴え、憲法前文にある「われらは、全世界の国民が、ひとしく恐怖と欠乏から免れ、平和のうちに生存する権利を有することを確認する」、憲法二五条の「すべて国民は、健康で文化的な最低限度の生活を営む権利を有する」という生存権、日本も批准している子どもの権利条約にある「締約国は、到達可能な最高水準の健康を享受することについての児童の権利を認める」といった条文を引き、会場に訪れた人たちに「避難の権利がある」と伝えました。そして、最終的には、避難にかかる費用を東京電力(以下、東電)が賠償していくことが必要だと話しました。

法的枠組みがない中で、「避難の権利」について講演したことを「あれは(弁護士になって)一年半だったからできたんですよ」と福田さんは笑いながら話すのですが、今でも、原発事故の避難指示区域の法律相談を受ける時に「あの時の講演を聞きました」と言われることがあるそうです。

また、この事故直後から、すでに福田さんは講演の中で「私は「自主避難」という言葉はあまり好きじゃなくて、東京電力の原発事故の影響で避難させられているのに、「自主」という言葉を使うのは非常に抵抗があるのですが……」と、前置きをしています。

私が見えていますか？

七月、福田さんは福島県内で法律相談会などを行っていた福島県内外の弁護士らと合流し、政府による避難指示区域の外側に、住み続けた人、避難した人、避難したけれど戻った人、それぞれを支援することを目的としたＳＡＦＬＡＮを立ち上げました。政府から避難指示が出ていなかった地域への支援は格段に遅れていました。

何度も、福田さんたちは福島県（主に福島市・郡山市）に通い、さまざまな集会で避難費用、東電に払ってほしい慰謝料の請求書フォーマットを配り、「東電に請求書を提出しましょう」と呼びかけます。

ちょうどその頃、原子力損害賠償法に基づいてつくられた、原子力損害賠償紛争審査会（以下、原賠審）で、原発事故の賠償の「中間指針（賠償の基準）」をつくっているところでした。政府の避難指示のあった地域の指針は議論されていましたが、いわゆる自主避難については議論されないことになりそうだったのです。八月五日、その「中間指針」が出されますが、やはり避難指示区域以外への賠償は漏れてしまいました。「社会に、これだけたくさんの人が、避難したいと考えているということを、見せないといけない」とSAFLANなどの市民団体が呼びかけ、一二日には、東電に対し、すでに自主避難した人や、これから避難を希望している人の請求書、四一一通(全部で約一二億円)の請求書を提出します。

一〇月には、自主避難について、福島市の瀬戸孝則市長、福島弁護士会の渡辺淑彦弁護士、子どもたちを放射能から守る福島ネットワークの代表・中手聖一さん、同ネットワークの宍戸隆子さんの四人が、原賠審でヒアリングを受けます。

請求書提出の働きかけや原賠審でのヒアリングなどの結果、「中間指針追補」という形で、避難指示が出なかった福島県内の会津・県南を除く二三市町村の住民に対し、子どもと妊婦に四〇万円、大人八万円といった枠組みが実現したのです。年間二〇ミリシーベルト以下の地域にも、原発事故の被害があると初めて認めたものです。

しかし、賠償額も賠償される地域や期間も、不十分でした。その「中間指針追補」からも漏れてしまった福島県南部の九市町村・会津地方、そして福島県外からも「わたしたちの地域の被害も認め、賠償してほしい」という声があがります。そのためSAFLANを含めたさまざまな市民団体が、国や東電に対する働きかけをその後も続けていました。

一二月には、参議院復興特別委員会にて参考人として招致された、伊達《だて》市から北海道に避難していた宍戸隆子さんが「今ここに居る皆さんに、福島の人は見えていますか、私が見えていますか」と国会議員に語りかけました。避難指示区域外の被害を無視され続けてきた、多くの人の思いでした。そして、「福島に残っている人にも、避難した人にも、賠償は同じように出してほしい」と訴えたのです。

見捨てられた存在

原発事故で一貫しているのは、冒頭で書いたように、原発事故の被害だと認められにくい問題に直面した人たちが、苦しみ、声をあげにくい、攻撃すらされる状況の中で「自分は見捨てられた」と感じていることです。

福田さんたちSAFLANは、法律家として、その見えにくい被害を社会化しようとしていました。我慢してやり過ごすのではなく(被ばくすることを我慢するのではなく)、おかしいことに向き合い、正し、制度をつくっていく。原発事故後は、その作業が至るところで求められました。

宮城県丸森町筆甫《ひっぽ》地区は、福島県と隣接する山間の地域です。地図には県境がありますが、放射性物質の飛散に県境は関係ありません。丸森町筆甫地区は、福島県いわき市や南相馬市よりも、比較的、放射線量が高い傾向がありました。二〇一二年頃から、SAFLANは、この地区での集団ADRにも関わります。

「ADR」とは、原子力損害賠償紛争解決センターといい、国の機関です。原発事故による損害賠償の請求について、東電との直接交渉や裁判以外で、迅速に解決するために被害者が利用します。丸森町筆甫地区の住民約七〇〇人が、原発事故によって多大な被害を被っているにもかかわらず、福島県外であるため東電から不十分な賠償しか受けていないとして、二〇一三年五月、福島県内の自主的避難等対象区域と同水準での賠償を求めて、原子力損害賠償紛争解決センターに和解仲介手続の申立てを行いました。その結果、二〇一四年、丸森町筆甫地区にも、福島県内と同等の賠償を求める画期的な和解案が出たのです。つまり、原発事故による被害は、福島県の県境を超えているということを社会に大きく示したのでした。

その後、福田さんは丸森町筆甫地区と同じように、栃木県那須町・那須塩原市・大田原市の住民約七〇〇〇人の集団ADRにも関わります。七〇〇〇人というインパクト。しかも、栃木県です。しかし、残念ながらこの栃木県北のＡＤＲには和解案が出されない結果に終わってしまいます。中立人の一人は、「きっと、栃木県で認められたら、すぐ南の関東圏の被害も認めなくてはならなくなるからだと思います。そうすると、ものすごい数になってしまう。それを避けたかったのではないでしょうか」とその悔しさを述べていました。

福田さんやＳＡＦＬＡＮをはじめ、さまざまな弁護士や市民団体などが、「原発事故の被害は福島県だけの問題ではない」と訴える人の声を聞き続け、社会化するために試行錯誤を続けていました。

二〇一二年六月に議員立法で「子ども被災者支援法」が成立しました。これは、前述の通り避難指示のなかった地域において、避難した人も、しなかった人も、避難して戻ってくる人にも必要な支援が講じられるという理念を持つ大切な法律でした。項目の中には、生涯にわたる定期的な健康診断や医療の確保、支援対象地域からの移動(避難や保養等)に対する支援や移動先での住宅確保施策などが盛り込まれていたのです。成立には、ＳＡＦＬＡＮのメンバーが市民団体や多くの保護者と共に、国会議員に働きかけを行っていました。成立時には、全国の「子どもを守りたい」と願う保護者が喜びました。

その法律に基づく具体策は、すぐにでもつくられなくてはならない状況でしたが、その期待に反して、一年二カ月以上、政府によって放置され続けていました。ようやく二〇一三年一〇月、「基本方針案」が発表されますが、法律に基づく「支援対象地域」が狭く、わずか福島県内の三三市町村のみ。県外にも被害があると訴えていた人がいる中で、「支援対象地域」をせばめ、具体策も有効なものはほとんどなく、法律成立の意義を骨抜きにするものでした。

この法律の具体策を待ち望んでいた全国の「子どもたちを放射能から守ろう」という意図で立ち上がった団体は、三三〇団体(二〇一四年)もの数になります。全国各地で、地方自治体が議会で国への意見書を採択し、「子ども被災者支援法の基本方針案の見直し」を求めました。それでも、最終的には有効な具体策がつくられないままだったのです。

福田さんはその後も、南相馬市原町区の特定避難勧奨地点が解除されそうになった二〇一四年からその地域に関わるようになり、放射線量が十分に下がらない中での避難指示の解除は拙速《せっそく》だと訴えました。あるいは山形県の雇用促進住宅から区域外避難者(自主避難者)が退去を迫られていた方々の弁護人を務め、8章でも紹介した子ども甲状腺がんに関わる裁判など、スポットライトが当たらないところに光を当て続けています。

甲状腺検査

福島県外でも、「子ども被災者支援法」による国による支援施策を切望していました。「汚染はあるのだから、支援対象地域に指定してほしい」と多くの人々が訴えていましたが、実現には至りませんでした。被ばくを避けるための施策だけではなく、定期的な健康診断も求められていました。福島県内では、原発事故当時〇歳から一八歳の子どもを対象に、定期的な甲状腺エコー検査が実施されていますが、福島県外では行われていません。

そのため、市民の力によって、福島県外での甲状腺検査が継続されています。「関東子ども健康調査支援基金(以下、基金)」は、二〇一三年九月に立ち上がり、寄付と、医師・スタッフのボランティア協力によって甲状腺エコー検査を運営してきました。毎年一〇〇〇～二〇〇〇人がこの基金の検査会場に訪れ、二〇一九年春には、受診者がのべ一万人を超えたのです。

二〇二一年一〇月に開かれた、那須塩原市での甲状腺エコー検査には、二三世帯、三三人の子どもたちが訪れました。原発事故から一〇年が経って、「今回、初めて受診しました」という人が初日には五人、二日目には二人もいたと教えてもらいました。生協や地元の幼稚園等での幅広い広報により、「今までこういった検査が受けられることを知らなかった」という人が訪れるのです。じっさいの受診には、さまざまな工夫がこらされています。福島県が行っている、福島県立医大による甲状腺検査より手厚いのです。

受診者はまず、手作りの動画で検査の流れを確認します。次に、臨床技師と医師が待つスペースへ。そこには、大きなモニターが二つ。ひとつには、その人の「過去の画像」、もうひとつには「今の画像」がうつされるのです。その画像を見ながら、医師が丁寧に説明してくれます。

基金では、個人の記録を、六桁のバーコードで管理し、過去に受診した記録を、どこの会場でも参照できる仕組みになっています。医師の説明を記録係が聞き取って入力し、すぐにプリントアウト。次のブースで、一人一人に対し、画像を見ながら丁寧に説明が行われます。一連の流れを、マニュアルにして、どこの会場でも同じように、誰でもできるようにしてあると、基金の共同代表の木本さゆりさんは話してくれました。

どうしたら子どもを守れるか

この会場で甲状腺エコー検査に関わる牛山元美さんは、内科の医師です。原発事故が起きた時、神奈川県で子育てをしながら医師として勤務していました。当時牛山さんには小学生と中学生の子どもがいました。

「原発事故は起きたら大変で、逃げきれない。受け身だと、子どもは守れない」、そう思ったことが、原発事故に関わるようになったきっかけでした。

映画『チャイナシンドローム』（一九七九年／アメリカ）を見て、「原発事故が起きると、国は本当のことを教えないのか」と衝撃を受け、関心を持っていたと言います。また、医師として、医療被ばくについても学び続けていました。そんな牛山さんは、どうやったら子どもを守れるかと考え、三月一四日、東京にいた姉に連絡をしました。姉の孫は赤ちゃんだったため、「避難したほうがいい」と伝えます。

翌三月一五日は、午前中の勤務。前日に三号機の爆発映像を見ていた牛山さんは、「これはもうまずい」「放射能プルーム（雲）はもう来ているだろう」と気掛かりで、緊迫した気持ちのまま仕事をしていました。同時に「私に何ができるか」と考え始めていました。

まず放射能の専門家で信頼できる知り合いの医師に連絡を取ります。そして「今の状況で、福島だけではなく、関東圏も大丈夫なのか」と質問をすると、「大丈夫だよ」「メルトダウンもしていないよ」と返事が帰ってきます。しかし、実際には、数か月後に分かることですが、すでにメルトダウンをしていました。

信頼していた医師が「大丈夫だ」と言っていることに、牛山さんは「おかしい」「専門家でも信用してはいけないのかもしれない」と思い始めました。テレビでも「ただちに影響はない」と言われ続けていましたが、牛山さんは、「これは、未来には影響がある可能性があるということだ」と考えていました。

四月になり、学校が始まった頃、東京大学の小豆川《しょうずがわ》勝見准教授が、無料で放射能濃度の測定をしてくれることをSNSで知り、牛山さんは子どもの学校の土、勤務先の病院の屋上の土を小豆川さんに送りました。子どもの小学校の土をもらう時には、校長先生に断りを入れ、担任の先生についてもらって土を採取したそうです。

七月になって小豆川さんから測定結果が戻り、牛山さんは愕然《がくぜん》とします。事故の前年は、放射性セシウム137は一kgあたり平均六ベクレル(国立研究開発法人 農業・食品産業技術総合研究機構の測定データ)だった土の濃度が、一kgあたり二七〇〇ベクレルもあったのです。

牛山さんは、その測定結果を手に学校に行き、「東大の先生が測定したら、学校の土からこんな数字が出てしまった。市に学校や通学路を細かく測ってほしいと、言ってほしい」と、校長先生に直談判します。

しかし、「国は安全だと言っているし、うちの学校だけ測定したら他の学校から「うちも測れ」と大騒ぎになってしまいますから」と、行政とは掛け合ってはもらえませんでした。そこで、身近な母親たちにこの測定結果を知らせ、広めてほしいと伝えました。特に近所の保育園の保護者のネットワークで広がり、PTA会長と役員から、「牛山さん、この測定のことと、原発事故について話をしてほしい」とお願いされます。

牛山さんは、資料をつくり、マンションの集会室で原発事故と、行政(市町村)による学校測定の体制をつくる必要性について話をしました。

関東の水道水からも放射性セシウムが検出され、報道された頃です。学校に水筒を持たせていた保護者も少なくありません。牛山さんもその一人でした。しかし、学校の先生は「持ってくるのはいいけれど、カーテンの裏や、保健室で隠れて飲んで」と子どもたちに言ったといいます。

その頃、じわじわと、牛山さんの子どもが通う小学校だけではなく、隣の小学校や、少し離れた小学校からも、「講演会をしてほしい」と依頼がくるようになりました。その講演会で、とある女性から、「市に一緒に行って、交渉しましょう」と声をかけられ、後日、市の教育委員会と話す場が設けられました。

その話し合いの会場には、福島県から避難してきた女性も参加していました。その女性から福島県内や自主避難の深刻さを聞きショックを受けます。また、「私は医師です」と言った時に、パッと教育委員会の男性の態度が変わったことを、牛山さんは見逃しませんでした。「こんなふうに、私には、医師であるということで、「話ができてしまう」という責任があると気がつきました。それと同時に、「私がやらなくてはならない」と本腰を入れるきっかけにもなったんです」。

その後、教育委員会、校長会、市議会などに、「学校を丁寧に測定してほしい」と陳情を重ねます。記者会見を開き現状を訴えると、ローカル紙などに報道されるようになりました。牛山さんは、「原発事故が起き、子どもの小学校の汚染を知り、自分が子どもと共にすでに被害者側にいることに気づいた時、私は、国に切り捨てられる存在なのだ、と思いました。今まで、国に守られる方だと思っていた、どこか行政的な考え方をしていたのは、ただの傲慢な特権意識だったんだ、と思い知りました」と話してくれました。

「心のケア」の必要性

二〇一二年からは、福島県内の状況に目を向けるようになりました。牛山さんはかつて、阪神淡路大震災の頃に、心療内科の研修生として被災地に入っていました。その頃は、「P

ＴＳＤ」（心的外傷後ストレス障害）という言葉が知られるようになった時期で、牛山さんは関心があり、とある大学にしかない資料を、図書館の本を借りられる権利を得てまで、取り寄せて読んだりしていたほどでした。だからこそ、この東日本大震災でも、「心のケア」が必要だと考えていました。

当時は、福島県内につながる人間関係はありませんでしたが、四月、福島県内で市民団体が行う健康相談会の医師が足りないという相談があり、牛山さんは主催者と連絡を取り、すぐに向かいました。その健康相談会で、最初に出会った母親のことが、今も忘れられないと言います。

「その方は、最初から涙声で、私に「私は負けてしまったんです」と言ったんです。被ばくは怖いけれど、避難はできない。避難したい人は県外にいなくなってしまい、その方の周りには、「怖いんだったら出て行けば」というような人しかいなかったようです。「負けてしまった」なんて言わせたくない、そんなこと許せないと思いました。

そして、「自分の不安を全部押し殺して生きています」と言いました。私はそんな生き方をしてほしくないと思いました。だから、「負けた」なんて思わないで生きていく方法を、伝えていくのが私の医師としての使命だとその時に思ったんです」。

以来、牛山さんは人手不足だった福島県内の当直のお手伝いや、各地で市民が開催する健康相談会などでさまざまな立場の人の声を聞いてきました。どの人も、不安と緊張でいっぱいいっぱいでした。

福島県内での健康相談会は続いていました。とある福島市での健康相談会で、驚く光景に出会います。東京大学からホールボディカウンター（体内の放射能濃度を測定する測定器）の相談を福島の人たちから受けるために、一人の教授が会場にきていました。その教授は、不安を抱えて集まる母親たちを前にして、いきなり「あなたたちは、低線量被ばくの「ひけんしゃ」です」と言ったのを牛山さんは耳にしてしまい、驚愕したのです。「ひけんしゃ」は「被験者」で、実験の対象者という意味です。日常的に聞く言葉ではなく、母親たちは、咄《とっ》嗟《さ》には何を言われたのかわからない様子でした。

「真剣に不安を抱える保護者の前で、「被験者」などと言うとは、科学者は、いったい何をしようとしているのか」と牛山さんは怒りのあまり、その場で主催者に訴えましたが、「仕方ない」「世話になっているから」と取り合ってもらえませんでした。

二〇一三年頃からは、保護者からの要望を受け、関東圏内でも健康相談会を行うようになりました。福島県内で行われていた甲状腺エコー検査を、関東圏でもやってほしい、という多数の声があったからです。この頃、関東圏内のさまざまな場所で、有志の医師による甲状腺エコー検査や健康相談会が開催され始めていました。

牛山さんが、自分が所属する神奈川県民主医療機関連合会に掛け合うと、甲状腺エコー検査を無料で受けられるように体制を整えてくれました。受付がはじまると、神奈川県や関東圏からだけではなく、福島県内から家族で来たり、子どもと一緒に親も検査を望んだり、避難している人が来たりしていました。その検査の中で、牛山さんは「心のケアが足りていない」と感じるようにもなりました。そのため、さまざまな場面で、医師として、母親の話を聞き続けるようになったのです。

「みな、頭ごなしに「被ばくのせいじゃない」と言われる経験をしています。鼻血、口内炎、皮膚炎、風邪をひきやすくなったなど、子どもの症状は事実なのだから、否定してはいけないんです。原発事故で何が起きるか、医学の教科書には書いていませんから」。

健康相談会に医師として参加する中で、牛山さんは、広島・長崎だけではなく、世界の「被ばく」の問題に二〇年以上関わってきた医師に出会い、海外への視察などへも行くようになりました。

中でも、放射線医学者の星正治名誉教授(広島大学原爆放射線医科学研究所)たちから、外部被ばく(外側から受ける被ばく)よりも、内部被ばく(呼吸や食事から受ける被ばく)のほうが、二〇倍も健康影響が大きいことなどの知識も得ます。

その後、二〇一六年頃からは、甲状腺がんに罹患《りかん》した子どもたちや家族とも接するようになりました。甲状腺がん家族の会が発足した時に、世話人になったことがきっかけでした。牛山さんが出会った甲状腺がんの若い患者たちは、「専門家が責任をもって、ちゃんと結論を出してほしい」と願っています。なぜなら、患者ひとりひとりの原発事故による被ばく量を、誰も調べていないからです。それなのに、「無関係だ」とは言えません。牛山さんは、そうした患者たちの声を聞き続けてきたのです。

「事故による放射性物質による汚染があったのに、被ばくの心配をすることが非難される社会はおかしい」と牛山さんは考えています。そして、被ばくの健康影響があった場合の早期救済を目指し、あるいは、影響がないのなら、ないということを明らかにするためにも、丁寧な健康調査を続けるべきだと訴えています。

「私たち日本には、広島、長崎の原爆被爆者のデータがあります。そこから得られたことは、「ほんのわずかでも被ばくするとがんになる可能性は高くなる、絶対安全なのは被ばくしないこと」という知見です。このことこそ、日本が世界に発信していかなければならないことだと思います」。

過酷な避難生活

原発事故をきっかけに関東圏、宮城県などから避難した人たちには、賠償も住宅支援もありませんでした。関東圏からの避難をした人たちは、より理解されず、より避難生活は過酷でした。原発からより遠くに避難をしたいと考えた関東圏や宮城県から避難した人たちは、沖縄や西日本、あるいは北海道などに数多くいます(『原発避難白書』人文書院)。

その一人、東京都から避難をした服部育代さんは、岡山県で避難者支援の団体「ほっと岡山」を運営しています。福島県から避難してきた人、それ以外の地域から避難してきた人も対象とする団体です。

「二〇一〇年、原発事故の直前に、所属していた団体で『母と子の防災本』をつくるために、取材も済ませていました。自然災害を想定してつくっていましたが、四ページ余ったから「原子力災害の具体的な対策を入れたい」と提案したら、「それはちょっと……」と反対されて、私もそこで引き下がってしまったんです。その直後に原発事故が起きて、その瞬間、「起きるわけないと思ってきた積み重ねで、起きてしまったんだ」と自分のことを責めたんです」。

二〇一一年三月一二日、一号機が爆発してからは、「一刻も早く避難したい」と服部さんは、考え続けていました。しかし、一週間後に、子どもの通っていた幼稚園が閉園することが決まっていて、何年も前からその日に向け、みんなで準備をしていた矢先でした。子どもたちを怖がらせることがないように、原発事故のことは伏せつつ、レインコートを着させ、マスクをつけ、家の隙間に目張りをしました。「防災の本に載せたい」と思っていた程度には、すでに原発事故についての知識があったからです。

一八日、子どもの幼稚園の閉園式が終わったその足で、夫の実家がある愛知県へと避難します。夫とは、一二日から毎晩、「この選択でいいだろうか」と相談し続けていました。

服部さんの妹も、子どもを連れて愛知県へと避難します。避難先で、子どもを遊ばせたいという発想が同じだったのか、東山動物園(名古屋市)で複数の関東圏からの避難者と出会います。妹の友人や保育園の友だちなど六~七世帯が集まり、「いつ帰ろうか」「どうしようか」と動物園で泣いたり励ましあったりするようになりました。母子で避難している人も多く、「動物園で遊ばせながらでないと、大人同士で話ができない」という状況だったのです。

四月、入学式を控えていた子どものために、東京へと戻りますが、アレルギー体質の娘は、口内炎《こうないえん》、皮膚炎などを発症していました。五月には、喘息《ぜんそく》の発作で入院にも至ります。その頃もまだ余震が続き、「何かあった時に、病院からどうやって脱出するか」を服部さんは考えていたくらいでした。

五月頃、いち早く借りられた放射線量の測定器であちこちを測ると、事故前の数倍～数十倍のところなど、一般公衆の被ばく限度、年間一ミリシーベルトを超えるところが東京都にもあちこちにあることがわかりました。中央線沿線の母親のネットワークも立ち上がり、チェルノブイリに関わってきた人、医師などの講演会に参加するようになりました。同じ頃、前述した、文科省の年間二〇ミリシーベルトに反対する交渉にも服部さんは出かけています。

被災地に支援物資を送ったり、実家の軽トラを石巻市で被災した人に寄付したりしつつ、放射能から子どもを守りたいと願う保護者たちを、全国でつなげられるように、「放射能から子どもたちを守る全国ネットワーク」の立ち上げ準備も行っていました。「放射能から子どもたちを守る全国ネットワーク」は、七月に設立されるのですが、二〇一四年には全国で三三〇団体もの登録があったほど、大きな動きでした。

そんな服部さんが下見を済ませていた岡山県への避難がようやく叶ったのは、八月でした。一九五〇年代に建てられた、古い家を、「避難したい」と考えていた母子三人世帯で借りたのです。しかし、山奥でもあったので、携帯電話がつながらず、ネット環境もなく、「もしもう一度原発が爆発して、北半球全域が危険になるようなことがあっても、情報を得られない」と安心できなかったと言います。

その後、月二万円で六畳と台所のみの狭い家に移り、母子三人での避難生活が始まりました。家にいるのがつらく、近所のイオン(大型スーパー)によく出掛けていたそうです。イオンは、全国にありますが、どこも似たつくりです。服部さんは「ここは、栃木の実家の近くのイオン」と思えば、本当に栃木県にいるような気がするのです。東京から栃木の実家を訪ね、母とよく近くのイオンに行っていたのです。しかし、ふと我にかえると、原発事故後の遠く離れた岡山県。服部さんは、子どもを遊ばせながら涙が出てきたと言います。「今でも、その家の近くに行くたびに胸がぎゅーっと苦しくなる」と言います。

その頃、服部さんを支えていたのは、地域の支援団体でした。その人たちとは、今でもつながっていて、「岡山のお母さんのような人」もいるそうです。服部さんは、その後避難者支援団体「うけいれネットワークほっと岡山」(現、ほっと岡山)を一二の団体と一緒に立ち上げ、あちこちに出張で飛び回る生活になるのですが、この地域の人たちや避難者家族が、服部さんと家族のサポートをしてくれていました。「原発事故は、広域避難だから、「岡山だけの避難者問題」にしてはダメだと、すごく思っていたんです」と、飛び回っていた理由を明かします。

実は、岡山県の避難者数は不思議な変遷を辿《たど》ります。『原発避難白書』のグラフによると、福島県に近い県(山形県、茨城県、新潟県等)は、二〇一二年をピークに、避難者数が減っていく(避難者が地元に帰っていく)のですが、岡山県だけが、二〇一四年になっても増え続けているのです。この現象の裏には、服部さんや、連携団体の活動がありました。

この頃、岡山県では、移住支援政策を進め、避難者を受け入れる体制をつくっていました。避難を迷い続けていた人の間では、「岡山県は避難者を受け入れてくれている」という情報も回っていました。その結果、福島県からの避難者数は一七五人、それ以外の関東圏、宮城県等からの避難者は六七一人(二〇二二年八月現在)と、幅広い地域からの避難者が集まったのです。

その一方で、服部さんは、「移住定住支援制度の枠組みで、本当にいいのだろうか」と、しだいに悩み始めていました。地方創生を謳《うた》う移住定住促進は、過疎化する地方に人が欲しいという需要があり、移住者による地域貢献が望まれています。しかし、原発事故の避難は、被害者がつらい胸の内を抱えてやってくるのです。

「移住支援とごちゃ混ぜにしてしまうと、困っていることや苦しい気持ちを見過ごしてしまうし、丁寧に耳を傾けないとダメだな……と思うようになったんです」。

特に、原発事故には「加害」「被害」の構造と、「被ばくを避けたい」という軸があります。そこを蔑《ないがし》ろにして色々進めてしまうと、避難してきた人との信頼関係も築きにくくなってしまいます。それは、原発事故を「自然災害と同じ」ように扱う行政と似てきてしまいます。すると、原発事故の「加害」「被害」の構造の中で、「この状況は理不尽だ」「人生が壊されて悔しい」という思いが語られず、見えなくなってしまうのです。

「原発事故の避難の「孤立」はトラウマレベルです。とにかく、その人の話を丁寧に聞くしかないな、と思うようになりました。解決しようとしても、制度がない。政治も行政も助けてくれない。まずは、耳を傾けることが大事だと思うようになったんです」。

避難者支援の現場では、行政、例えば福島県から職員が来ても、信用して話をしても大丈夫かどうか、迷う人もいました。あるいは、「行政は自分たちを守ってくれなかった」という思いから、拒絶する人もいました。だからこそ、民間でしかできないこともあったのです。服部さんは、岡山県内での避難者交流会を続け、その部分を今も担い続けています。

しかし、震災後一〇年を経て、その支援団体への補助金も、福島県は出し渋るようになってしまいました。民間だからこそできることを大切に続けてきた服部さんの支援団体も、一時は活動できなくなる恐れがありました。故郷を喪失《そうしつ》した人たちの苦悩や葛藤《かっとう》に寄り添い、安心して「悲しめる場所」をつくり続けてきたのです。

「原発事故の避難者はマイノリティです。だからこそ、つながる必要があるけれど、立場の違いや、行政による支援のなさから、分断も進んでしまう。国と制度がしっかりしていて、広範な被害を認めていたら、なかった分断があると思うんです」。

そう、服部さんは話しています。

主要参考文献

1章

・『双葉町　東日本大震災記録誌　後世に伝える震災・原発事故』（双葉町／二〇一七）
・『福島第一原発事故7つの謎』（NHKスペシャル『メルトダウン』取材班／講談社現代新書／二〇一五）
・『ドキュメント　テレビは原発事故をどう伝えたのか』（伊藤守／平凡社新書／二〇一二）
・『原発事故　自治体からの証言』（今井照・自治総研編／ちくま新書／二〇二一）
・『自治体再建――原発避難と「移動する村」』（今井照／ちくま新書／二〇一四）
・『原発避難者「心の軌跡」――実態調査一〇年の〈全〉記録』今井照・朝日新聞福島総局編著

2〜4章・9章

・『災害からの命の守り方―私が避難できたわけ―』（森松明希子／文芸社／二〇二一）
・『福島のお母さん、聞かせて、その小さな声を』（棚澤明子／彩流社／二〇一六）
・『地図から消される街　3・11後の「言ってはいけない真実」』（青木美希／講談社現代新書／二〇一八）
・『いないことにされる私たち　福島第一原発事故10年目の「言ってはいけない真実」』（青木美希／朝日

新聞出版／二〇二一）
- 『ルポ　母子避難――消されゆく原発事故被害者』（吉田千亜／岩波新書／二〇一六）
- 『その後の福島――原発事故後を生きる人々』（吉田千亜／人文書院／二〇一八）
- 『原発事故避難者はどう生きてきたか――被傷性の人類学』（竹沢尚一郎／東信堂／二〇二二）
- 『原発避難と再生への模索――「自分ごと」として考える』（松井克浩／東信堂／二〇二一）
- 『奪われたくらし――原発被害の検証と共感共苦』（高橋若菜編著／日本経済評論社／二〇二二）
- 『原発分断と修復的アプローチ――福島原発事故が引き起こした分断をめぐる現状と課題』（成元哲・牛島佳代編著／東信堂／二〇二三）
- 『福島第一原発事故中通り訴訟――原発事故による精神的損害賠償請求において、一人の弁護士と五二人の住民が、なぜ金メダルを勝ち取ることができたのか？』（野村吉太郎編著／作品社／二〇二二）
- 『原発事故後の子ども保養支援――「避難」と「復興」とともに』（疋田香澄／人文書院／二〇一八）
- 『子ども脱被ばく裁判　意見陳述集』（子ども脱被ばく裁判の会編／まままればブックレット）
- 『3・11と心の災害――福島にみるストレス症候群』（蟻塚亮二・須藤康宏／大月書店／二〇一六）
- 『悲しむことは生きること――原発事故とPTSD』（蟻塚亮二／風媒社／二〇二三）
- 『福島からの手紙――十二年後の原発災害』（関礼子／新泉社／二〇二三）
- 『フクシマの医療人類学――原発事故・支援のフィールドワーク』（辻内琢也・増田和高編著／遠見書房／二〇一九）
- 『福島原発事故は人々に何をもたらしたのか』（関礼子・原口弥生編／新泉社／二〇二三）

5章
・『消防活動記録誌　双葉消防の戦い』（双葉地方広域市町村組合消防本部／二〇一六）
・『東電原発事故10年で明らかになったこと』（添田孝史／平凡社新書／二〇二一）
・『福島インサイドストーリー――役場職員が見た原発避難と震災復興』（今井照・自治体政策研究会編著／公人の友社／二〇一六）
・『誰が命を救うのか――原発事故と闘った医師たちの記録』（鍋島塑峰／論創社／二〇二〇）
・『避難弱者――あの日、福島原発間近の老人ホームで何が起きたのか？』（相川祐里奈／東洋経済新報社／二〇一三）

6章
・『10年後の福島からあなたへ』（武藤類子／大月書店／二〇二一）
・『原発と大津波　警告を葬った人々』（添田孝史／岩波新書／二〇一四）
・『東電原発裁判――福島原発事故の責任を問う』（添田孝史／岩波新書／二〇一七）
・『東電刑事裁判　福島原発事故の責任を誰がとるのか』（海渡雄一／彩流社／二〇二〇）
・『3・11大津波の対策を邪魔した男たち』（島崎邦彦／青志社／二〇二三）

7章
・『わかな十五歳――中学生の瞳に映った3・11』（わかな／ミツイパブリッシング／二〇二一）
・『ありのままの自分で――東日本大震災・福島原発事故を体験した母娘の選択』（渥美藍・大関美紀／せせらぎ出版／二〇二〇）

8章

・『福島が沈黙した日――原発事故と甲状腺被ばく』(榊原崇仁/集英社新書/二〇二一)

・OurPlanet TV(ourplanet-tv.org)

10章

・『避難する権利、それぞれの選択――被曝の時代を生きる』(河﨑健一郎・菅波香織・竹田昌弘・福田健治/岩波ブックレット/二〇一二)

・『原発避難白書』(関西学院大学災害復興制度研究所・東日本大震災支援全国ネットワーク(JCN)・福島の子どもたちを守る法律家ネットワーク(SAFLAN)編/人文書院/二〇一五)

・『つむぐ――3・11避難者の声』(一般社団法人ほっと岡山)

おわりに

私は、原発事故後、事故の被害を受けた人にたくさん出会いました。私にとって、大切な人たちです。

そのことに感謝し、嬉しく思う時、でもこの出会いは、この目の前の人の原発事故からの悲しみ、苦しみの上に成り立ってしまった出会いで、それに対して「感謝」や「嬉しい」という言葉はそぐわない……そう思い直すのです。だからいつも、出会ってくださって、「ありがとう」と思うのと同時に「ごめんなさい」という言葉がついて回ります。

福島の自然の風景は本当に素晴らしく、豊かです。海も山も川も湖も、春夏秋冬、それぞれの美しさに魅了されます。春には、赤、ピンク、淡いピンク、黄色、白……さまざまな花が山を彩ります。夏は清々しい緑、それも黄緑から深い青のような緑、遠くの稜線は青。秋は、車を運転していると、黄色い落ち葉がハラハラと降ってくるのです。それをさっと抜けた先にある、深い赤、朱、オレンジ、茶色の紅葉した木々。一本の木にもグラデーションがあります。その先の高い高い空。「ほんとの空」は、きっとこれだな、といつも思うのです。自然の織りなす配色の美しさを堪能したあとにやってくる、冬の真っ白な雪景色もまた、ハッとするほど美しく、時に厳しく、そして、しだいに色が恋しくなるのです。浜通りでは雪はあまり降らないのですが、山間部や会津のほうでは雪がたくさん積もります。そうして、カラフルな四季が巡ります。

その風景を好きになればなるほど、ふとよぎる原発事故がつらいのです。

原発については、6章で武藤類子さんが話してくださいましたが、私は「誰かに犠牲を押し付けて」生きてきたことすら、事故が起きるまで知ろうともしていませんでした。だからもし、読んでくださっているあなたが「知らなかった」と思っていたとしても、それはかつての私と同じです。そして、まだまだ私も知らないことがたくさんあります。

でも、大切な人が苦しんでいたら、私も苦しい。その経験は、きっとこの本を読んでくださっている方の中にもあるのではないかと思います。ほんの少し、この本に登場してくださった方々のことを知って、親しくなった気持ちになって、その人たちの気持ちを想像してくれたらいいなと願っています。

とはいえ、この本を書くのは、本当に苦しくてとても時間がかかりました。これまで文章を書いてきた中で、一番、悩みもがき、なぜ、こんなにつらいのか、ずっと考えながら書いていました。それは、「書ける（書いていい）人間なのか」を、読む人からも、取材をする相手からも、問われておかしくない立場にあると自覚しているからです。

若い人たちに対して原発事故を伝えるということよりも前に、本当は申し訳なさを抱えています。心配なく生きられる社会を手渡さなくてはならない大人でありながら、現実にはそうはなっていないと考えているからです。

二〇二三年、運転期間四〇年を超えた古い原発まで再稼働を進めること、原子力産業を維持するために膨大な税金を投入することまで決まってしまいました。これだけ事故で苦しんだ人たちがいる中で、この国は、なぜそんな道を進んでいるのか、憤りを覚えます。そして、核のゴミやＡＬＰＳ処理汚染水など、私が生きている間には解決しない問題も、次世代に押し付けてしまう。

せめて生きている間に、私が出会った人たちのことを伝えておきたい、と思いながら書こうとして机に向かう。自分が嫌になる。無力だな、と思う。その繰り返しでした。

また、私がお話を伺えた人たちは、ごく一部の人です。たくさんのひとりひとりに原発事故後の物語があります。私が切り取ってしまうことも、不遜なことだと、これはいつも思うことです。もし、原発事故に興味、関心を持ってこの本と出会ってくださったのなら、機会を見つけて、直接「経験した人の語り」に触れてほしいと思います。それが叶わない場合には、原発事故にまつわる本、経験した人が書いている本もたくさん出ているので、それも読んでみてほしいと願っています。一〇〇人いれば、一〇〇人の抱える「原発事故」があるからです。

カバー画は、蟹江杏さんが描いてくださいました。その時、こんなふうにお願いしました。

・福島の自然の豊かさ、素晴らしさ(私は海よりも、福島の山が好きです。稜線がいつも美しくて)。

・社会が被災した人たちを包摂する希望(を持ちたいので)、でも明るすぎないような。

・「人」できれば、共に生きる、という意味では、二人を描いてほしいと思いました。歩く後ろ姿というイメージでしょうか。

私も、何もできなくてもどかしくても、隣にいる人でありたい、という思いがあります。凝ったことは何も考えず、思いつくままにリクエストを書き連ねてみたら、ああ、そうか、としみじみしました。私がなぜ原発事故に関わり続けたいと思うのか、という理由と同じだったからです。

抽象的なリクエストにもかかわらず、思いのバトンを受け取り、描いてくださった蟹江杏さんに、改めて、心からの感謝を申し上げます。そして、遅々として筆の進まない私を最後まで励ましながら、伴走してくださったジュニア新書編集部の山下真智子さんにも、心から感謝を申し上げます。

おかしいことは、おかしいと言う。理不尽だと思うことには、待ったをかける。自分の気持ちを大切にする。信頼できる人に話してみる。大丈夫、必ず、聞いてくれる人がいます。そう信じられるようになったのは、事故後に出会った人たちに、私も教えてもらったからです。

原発事故を忘れず、関心を持つことの先には、この社会をあきらめず、自分や誰かの笑顔を少しでも増やしていくことにつながるのだと思います。少なくとも私は、自分が一人ではないと思える、多くの出会いのおかげで、今は孤独ではありません。

手紙を書くような気持ちで書いてきました。今日もどこかで、かけがえのない日常を過ごす、本に登場してくださった人たち、手にとってくださる人たち、そして、「共に生きる」ということに思いを巡らせながら、この本を終えます。

吉田千亜

磐梯山をのぞむところにて

吉田千亜

1977年生まれ。フリーライター。福島第一原発事故後、被害者・避難者の取材、サポートを続ける。著書に『孤塁 双葉郡消防士たちの3・11』(岩波書店)にて、本田靖春ノンフィクション賞(第42回)、日隅一雄・情報流通促進賞2020大賞、日本ジャーナリスト会議(JCJ)賞を受賞。『ルポ 母子避難―消されゆく原発事故被害者』(岩波新書)、『その後の福島―原発事故後を生きる人々』(人文書院)、共著に『原発避難白書』(人文書院)など。

原発事故、ひとりひとりの記憶
―3.11から今に続くこと　岩波ジュニア新書981

2024年2月20日　第1刷発行

著　者　吉田千亜《よしだちあ》

発行者　坂本政謙

発行所　株式会社　岩波書店
〒101-8002　東京都千代田区一ツ橋2-5-5

案内　03-5210-4000　営業部　03-5210-4111
ジュニア新書編集部　03-5210-4065
https://www.iwanami.co.jp/

印刷製本・法令印刷　カバー・精興社

ISBN 978-4-00-500981-7　Printed in Japan

岩波ジュニア新書の発足に際して

　きみたち若い世代は人生の出発点に立っています。きみたちの未来は大きな可能性に満ち、陽春の日のようにひかり輝いています。勉学に体力づくりに、明るくはつらつとした日々を送っていることでしょう。

　しかしながら、現代の社会は、また、さまざまな矛盾をはらんでいます。営々として築かれた人類の歴史のなかで、幾千億の先達《せんだつ》たちの英知と努力によって、未知が究明され、人類の進歩がもたらされ、大きく文化として蓄積されてきました。にもかかわらず現代は、核戦争による人類絶滅の危機、貧富の差をはじめとするさまざまな人間的不平等、社会と科学の発展が一方においてもたらした環境の破壊、エネルギーや食糧問題の不安等々、来るべき二十一世紀を前にして、解決を迫られているたくさんの大きな課題がひしめいています。現実の世界はきわめて厳しく、人類の平和と発展のためには、きみたちの新しい英知と真摯《しんし》な努力が切実に必要とされています。

　きみたちの前途には、こうした人類の明日の運命が託されています。ですから、たとえば現在の学校で生じているささいな「学力」の差、あるいは家庭環境などによる条件の違いにとらわれて、自分の将来を見限ったりはしないでほしいと思います。個々人の能力とか才能は、いつどこで開花するか計り知れないものがありますし、努力と鍛練の積み重ねの上にこそ切り開かれるものですから、簡単に可能性を放棄したり、容易に「現実」と妥協したりすることのないようにと願っています。

　わたしたちは、これから人生を歩むきみたちが、生きることのほんとうの意味を問い、大きく明日をひらくことを心から期待して、ここに新たに岩波ジュニア新書を創刊します。現実に立ち向かうために必要とする知性、豊かな感性と想像力を、きみたちが自らのなかに育てるのに役立ててもらえるよう、すぐれた執筆者による適切な話題を、豊富な写真や挿絵とともに書き下ろしで提供します。若い世代の良き話し相手として、このシリーズを注目してください。わたしたちもまた、きみたちの明日に刮目《かつもく》しています。（一九七九年六月）

967 核のごみをどうするか ―もう一つの原発問題 今田高俊・寿楽浩太・中澤高師

原子力発電によって生じる「高レベル放射性廃棄物」をどのように処分すればよいのか。問題解決への道を探る。

968 扉をひらく哲学 ―人生の鍵は古典のなかにある 中島隆博・梶原三恵子・納富信留・吉水千鶴子 編著

親との関係、勉強する意味、本当の自分とは？……人生の疑問に、古今東西の書物をひもといて、11人の古典研究者が答えます。

969 在来植物の多様性がカギになる ―日本らしい自然を守りたい 根本正之

日本らしい自然を守るにはどうしたらいい？ 在来植物を保全する方法は？ 自身の保全活動をふまえ、今後を展望する。

970 知りたい気持ちに火をつけろ！ ―探究学習は学校図書館におまかせ 木下通子

レポートの資料を探す、データベースで情報検索する……、授業と連携する学校図書館の活用法を紹介します。

971 世界が広がる英文読解 田中健一

英文法は、新しい世界への入り口です。楽しく読む基礎とコツ、教えます。英語力不問、この1冊からはじめよう！

972 都市のくらしと野生動物の未来 高槻成紀

野生動物の本当の姿や生き物同士のつながりを知る機会が減った今。正しく知ることの大切さを、ベテラン生態学者が語ります。

973
ボクの故郷は戦場になった
――樺太の戦争、そしてウクライナへ

重延　浩

1945年8月、ソ連軍が侵攻を開始し、のどかで美しい島は戦場と化した。少年が見た戦争とはどのようなものだったのか。

974
源氏物語入門

高木和子

日本の古典の代表か、色好みの男の恋愛遍歴か。『源氏物語』って、一体何が面白いの？　千年生きる物語の魅力へようこそ。

975
「よく見る人」と「よく聴く人」
――共生のためのコミュニケーション手法

広瀬浩二郎
相良啓子

目が見えない研究者と耳が聞こえない研究者が、互いの違いを越えてわかり合うためコミュニケーションの可能性を考える。

976
平安のステキな！女性作家たち

川村裕子
早川圭子 絵

紫式部、清少納言、和泉式部、道綱母、孝標女。作品の執筆背景や作家同士の関係も解説。ハートを感じる！王朝文学入門書。

977
国連で働く
――世界を支える仕事

植木安弘 編著

平和構築や開発支援の活動に長く携わってきた10名が、自らの経験をたどりながら国連の仕事について語ります。

978
農はいのちをつなぐ

宇根　豊

生きものの「いのち」と私たちの「いのち」はつながっている。それを支える「農」とは何かを、いのちが集う田んぼで考える。